청춘의 비망록 - 계절성 기후장애

청춘의 비망록 – 계절성 기후장애

발　행 | 2024년 06월 19일

저　자 | 채뭉글, 익명의글씨체

펴낸이 | 한건희

펴낸곳 | 주식회사 부크크

출판사등록 | 2014.07.15.(제2014-16호)

주　소 | 서울특별시 금천구 가산디지털1로 119 SK트윈타워 A동 305호

전　화 | 1670-8316

이메일 | info@bookk.co.kr

ISBN | 979-11-410-9015-9

www.bookk.co.kr

청춘의 비망록

― 계절성 기후장애

채뭉글 & 익명의글씨체 단상집

처음 나의 청춘에 관한 글을 쓰기로 마음먹었을 때. 지금까지 지나온 어렸던 나의 어린 청춘들을 떠올렸습니다. 어째서 청춘은 내 어린 청춘에 어울리지 않게 푸를 청을 쓰는 건지 이해할 수 없었고, 그 어둡고 어린 청춘을 쓰는 일이 과연 맞는 일인지 나는 작은 의문이 생겼습니다.

그럼에도 이 글을 써야겠다고 다짐한 까닭은, 이 책을 내야겠다고 다짐한 이유는, 그때의 어린 청춘도, 지금 내가 달리고 있는 청춘도 모두 나라는 사실은 바뀌지 않았기 때문입니다.

작고 어린 나의 청춘에게 바칩니다. 그때 너는 어떠한 잘못도 하지 않았다고, 그저 작고 작은 일들이 모여 너를 엉망진창으로 만들었다고.

그동안 너는 잘 버텨왔다고. 잘 버티고 있다고.

세상을 살아가고 있는 작고 어린 청춘들에게 바칩니다.
그렇게 많이 구르고 넘어지고 울어도,
너의 비망록은 너를 기억할 것이라고.

— 채뭉글

이 글은 100일 뒤에 내가 죽은 후 이걸 보게 될 당신들에게 전할 내 이야기들이야. 살기 위한 작은 발악이랄까. 생각했던 것보다 훨씬 더럽고 추악한 세상을 앞으로 딱 100일만 살아보려 해. 이 글을 읽고 있다는 건 난 이 세상에 없다는 뜻일 테니까.

조금은 궁금해,
첫 장을 넘기고 이 보잘것없는 문장들을 읽고 있는 당신의 표정이.

내가 남긴 이 문장들 하나하나에 당신의 입을 맞춰줘.

-언제 였는지 기억이 나지 않는 날 저녁에-

바늘 같은

나의 청춘은 조금 암울했습니다.

어쩌면 가장 해맑을지도 모르는 어린 청춘은 방에서 나오지 못했고, 나는 그런 청춘과 함께 어두운 방 안에서 울었습니다.

작은 바늘에도 피가 나는 법.
나는 스스로에게 바늘 같은 사람이었습니다.

작지만 뾰족한 마음들은 작은 움직임에도 곧잘 나를 찔렀습니다. 울음이 터져 나와도 소리 내지 않았고, 큰일이 일어나지 않아도 매일 끈적한 걱정 속에 살았습니다. 난 그렇게 힘든 내색 하나 하지 않고 혼자 버티는 방법을 배웠습니다.

우리의 청춘은 청춘이 아니었다.

그날 우리는 함께 바다에 갔다. 죽으러 갔다고 하는 게 맞을지도 모르겠다. 그저 쉽게 죽는 방법이라곤 아는 게 익사밖에 없어서, 그래서 우리는 바다에 갔다. 바다로 갔다.

내가 본 마지막은 너였다. 너는 네 손으로 내 목을 쥐었다. 내게 네 손은 칼이었다. 나를 한 번에 저승으로 보낼 수 있는. 어쩌면 너만 살아남는 방법이었다.

어른들이 보기에 우리는 그저 어린 중학생이었고, 스스로가 생각하기에 우리는 청춘을 팔아먹은 사람들이었다.

우리의 삶은 너무 어두워서 빛을 찾지 못해 길을 잃었고, 우리는 그렇게 미아가 됐다.

고작 삶이 힘들어서 삶을 관두겠다는 말은 그 누구의 귀에도 들어가지 않았다. 죽을 용기로 삶을 살라는 말은 우리에게 힘이 되지 않았다.

끝을 마주하기가 힘들었다. 나의 삶의 끝이 다가오는 건 괜찮았는데, 네가 죽는 모습을 상상하는 게 힘들었다.

세상에는 다양한 사람들이 있고, 그 끝에는 다양한 죽음이 존재한다.

우리는 다가올 미래를, 죽음을 기대하며 현재를 살아가야 하나.

죽음이 무서워 두려움에 떨며 지내야 하나.

나는 아직 답을 찾지 못했다.

젊은 사람들이 왜 자꾸 죽는 걸까.
그러는 우리도 죽음을 생각하는데.

누가 우리를 이렇게 벼랑 끝으로 몰았는지,
우리는 답을 찾지 못했다.

웬디

어느 날 밤 갑자기 내 앞에 그 아이가 나타났으면 하고 바라던 날들이 있었습니다.

나의 밤은 달빛도 볼 수 없었고, 별들의 노래도 들을 수 없었습니다. 그래서 나는 그 아이와 날고 싶었습니다.

별빛이 노래하고 예쁜 달이 뜨는, 우리를 막아 세우는 장애물이 존재하지 않는 그런 밤을 날고 싶었습니다.

약간의 요정 가루만 있다면 좋았을련지요.
그날 나는 정말 하늘을 날고 싶었습니다. 누군가의 손을 잡으면 해결될 것만 같았습니다.

이미 온몸이 끈적한 우울에 젖어있어서 일어나지도 못하는 상태였지만 난 초콜릿 칩 쿠키를 먹고 깊은 잠에 들 때면, 꿈속에서 항상 그 아이를 만나, 하늘을 날고 있었습니다.

青春

푸르른 봄에 피는 벚꽃을 좋아합니다. 나의 여름이 다가오기 전까지 한순간에 세상을 분홍빛 바다로 만들고 가는 벚꽃을 좋아합니다.

내가 밖으로 나오지 못한 시간 동안 벚꽃은 몇 번을 피고 진 걸까요. 스스로 숨통을 끊기엔 너무 다정한 봄이 다시 찾아왔습니다.

다시 세상을 살게 만든 여러 사람의 목소리가 만들어 낸 산물인 3월의 봄이 **청춘**이라는 한 단어로 표현되기엔 너무 아까워서, 말도 안 되는 이유들을 하나씩 만들어 가며 나는 살아가려 합니다.

다시 죽고 싶어진다 해도 괜찮을 겁니다.
아니, 괜찮습니다.

나는 버젓이 살아낼 테니까요.

지금껏 앓아온 푸른 청춘과
앞으로 다가올 따뜻한 봄의 청춘들을.

안녕

네가 어떤 사람이든

어떻게 살아왔던

각자의 삶에서 치열하게

투쟁하는

너의 오늘을

내가 사랑해

240329 13:33

날씨가 좋은 날엔 밖에 나가는 일을 좋아합니다.

엽록체는 없지만 행복은 가지고 있는 인간인지라
저는 광합성을 하러 밖에 나가는 일을 좋아합니다.

쏟아지는 햇살이 줄 수 있는 건 구원 따위는 아니지만 작은 위안
은 줄 수 있으니까요. 기분이 좋지 않은 날엔 더욱 몸을 움직이려고
노력합니다. 일어나면 죽을 것 같다가도 막상 나가면 또 잘 놀거
든요.

이 글을 쓰고 있는 지금
여기는 햇살이 내리쬐고 있어요.

저 잠깐 밖에 나갔다 올게요!

상처가 많은 아이

달 사진 찍는 것을 좋아합니다.

작은 마음에서 시작한 일은 서서히 내 마음에 스며들어 이젠 가슴을 뛰게 했습니다.

한 번씩 눈에 달을 담던 이는 이젠 밤이 찾아오면 제 발로 달을 보러 나가는 사람이 되었습니다.

가슴을 뛰게 만드는 일이 있나요?

저는 제 가슴을 뛰게 만들어 준 달에게 감사합니다.

달이 뜨는 날 또 만나자고
매일 인사할 만큼 말이죠.

신호탄

두꺼운 너가 장롱에 숨어 울 차례가 되면
연보랏빛 타로 밀크티의 계절이 온 거겠지

마른 몸에 전신거울이 다시 운동을 부추기고
선크림을 발라도 눈 녹듯이 흐르는

죽음을 기다리는 매미들의 계절

死を待つセミたちの季節

수애자(水愛者)

바다가 보고 싶었습니다.
숨이 잘 쉬어지지 않을 만큼 많이 울었던 날.
흐르는 물에 눈물을 씻어내면서 든 생각은

'바다 보고 싶다' 였습니다.

답답함을 이기지 못해 튀어나온 진심은 한동안 나의 생각들을 푸른
바다 안에서 살게 했습니다.

몇 년 뒤 파도에 이끌리고
윤슬에 빛나는 바다를 실제로 봤을 때,
나는.

이곳에 빠져 죽어도 좋다고 생각했습니다.

바다를 사랑하게 된 건 그때부터였을까요.

海を愛するようになったのはその時からだろうか

みんなうそだったといって春は逃げてしまった

살아주세요

나는 꽤 오랫동안 엄마랑 같이 잤다.
가끔 새벽에 혼자 눈이 떠지면, 엄마가 숨을 쉬는지 가만히 숨을
죽이고 확인하곤 했다.

じっと息を殺して確認したりした

스케치북

교복을 입고 학교에 다니던 시기가 있었습니다.
불과 몇 개월 전만 해도 나는 고등학생이었거든요.

날씨가 좋은 날엔 친구들과 학교 주변을 걸었습니다. 아직도 깔깔
거리는 웃음소리는 귀에 선명히 그려집니다.

각자의 꿈이 전부 달랐던 우리는 개개인의 길을 찾아 걷고 있지
만, 우리는 압니다.

그날 마지막으로 나눴던 '안녕'이라는 말이 영원한 헤어짐은 아
니라는 것을 언젠가 웃으며 그 말을 다시 할 수 있다는 사실을.

무제

하루가 다 지나가고 나는 침대에 누워 방 천장을 가만히 바라봤다. 자야지 하고 일찍 누웠지만 어둡고 기나긴 새벽까지도 잠들지 못하고 눈을 꼭 감아봐도 정신이 흐릿해지지 않는다. 잠들지 못한다는 건 이 현실에서 어디론가 도망칠 수도 없다는 뜻이었다.

'째깍째깍'

시계 초침 소리에 심장이 몇십 번이고 찔리는 것 같았다.

잊혀지지 않는 이름이 있다. 그다지 특이하지도 않지만 절대 잊을 수 없는 이름이 있다. 그 사람과의 인연을, 내 인생에서 스쳐 지나가는 바람이라 생각하려 해도 절대 잊혀지지 않는다. 얼굴, 목소리조차 희미해질 정도로 시간이 지났지만,

그 사람의 이름 3글자를,

난 절대 잊을 수가 없다.

여우와 장미

길들여짐은 '관계를 맺는다'는 뜻이다.

어린 왕자는 다른 여러 별을 거쳐 지구에 왔을 때 자신이 살던 별에서와 같은 장미꽃 5천 송이를 보고 풀밭에 엎드려 울 것이다.

그는 자신이 사랑한 한 송이의 장미를 잊지 못할 것이고, 자신이 장미라 이름을 붙인 그 장미를 영원히 사랑해서, 그는 자신이 사랑한 장미를 그 많은 5천 송이 중 찾지 못해 또 울고 말 것이다.

평범하디 평범한 내 이름을 나는 그닥 내켜 하지 않았다. 그러던 어느 날 어떤 사람의 한마디가 나의 생각을 바꿔주었다.

'난 당신의 이름이 좋다고.
당신 같은 이름을 가진 사람을 만나보고 싶었다고.'

"넌 아직 나에게 수많은 다른 아이들과 하나도 다를 게 없는 아이일 뿐이야. 그러니까 난 네가 필요하지 않아. 너도 내가 필요하지 않고. 너에게 나는 수많은 다른 여우들과 다를 바 없는 한 마리 여우일 뿐이거든. 하지만 네가 나를 길들인다면 우리는 서로 필요하게 되는 거야. 너는 나에게 이 세상 단 하나뿐인 아이가 되는 거고, 나는 너에게 이 세상 단 하나뿐인 여우가 되는 거지."

어린 왕자에 나오는 여우는 어린 왕자를 사랑했을까. 그는 어린 왕자에게 세상 단 하나뿐인 여우가 되고 행복했을까.

나는 네게 유일한 사람이, 유일한 사랑이 되고 싶어 지금도 열심히 발버둥 치며 널 사랑하는 중인데 말이다.

사랑 해주는 사람이 있다는 건 정말 좋은 것 같다. 기쁘고 즐거운 순간에도 약간의 우울감은 살냄새처럼 배어 지워지지 않았고, 나와 세상 사이에는 늘 안개가 끼어있어 어떤 질문에도 흐리멍텅한 대답만 간신히 뱉어내던 나날이었지만, 그래도 나와 너의 사이에는, 우리의 사이에는 내 마음의 눈과 비를 막아주는 천장과 차갑지 않은 바닥이 있었다.

나는 나의 사랑을 네게 전부 바칠 수 있어서, 그래서 나는 네 손을 영원히 잡고 싶었고, 지금도 그러하다.

사랑해, 너를 너무 많이 사랑해서
더 이상 무슨 단어로 이 사랑을 표현해야 할지 모르겠어.

영원히 내 옆에 있어 줘,
그저 내 손을 놓지 말아줘.

정상

현실이란 잔혹한 것이다. 큰 병도, 사고도, 천재지변도, 언제 자신의 신변이 다칠지 알 수 없다. 모든 것에 대비하려고 하면 기우가 되겠지만, 예비 지식이 조금이라도 있다면, 만일의 경우에 혼란을 피할 수 있다.

알아두어야 했다고 곱씹듯 생각하면서 나는 가볍게 눈자위를 눌렀다. 후회되지만 지나간 일로 괴로워해봤자 소용없다. 지금이라도 늦지 않았을 것이다.

나는 그렇게 한숨을 크게 내쉬고 침대에서 일어났다. 창밖의 햇빛은 강렬했고 나는 그대로 다시 눈을 감았다.

일어난 시간은 생각보다 늦었다. 오후 두 시.
나는 그제야 눈을 떴다. 또 같은 꿈인가. 이게 현실인가. 이 계절엔 약간 분간이 되지 않는다.

나는 빨려 들어갈 듯한 이불을 침대 끝자락에 던져놓곤 일어났다. 세상은 나와의 거대한 괴리감을 만들어 놓은 채 잘만 돌아갔다. 나는 거대한 괴리감 덩어리를 항상 이기지 못하고 도망갔다. 오늘도 그랬다.

방의 문턱을 넘는 일은 에베레스트산 꼭대기를 넘는 듯 숨이 찼다.

약간의 숨 막힘이 동반된 등반을 시작해야 했다.

나의 아침은, 이 계절의 아침은 항상 이랬다.

나를 이불속으로 침몰시킨 그날의 날씨를 나는 기억 한다.

계절을 찾아주세요.

잠식 되어버린 나의 여름을 찾아줄 이는 아무도 없었고, 나는 그렇게 피터 팬을 찾는 그림자처럼 혼자 계절을 찾아다녔다. 기억의 한 조각이 찾아올 때, 나는 계속 무너졌다.

계절을 찾는 일을 혼자 하는 것은 힘들었다.
괴로웠고, 괴로웠고, 괴로웠다. 이보다 더한 정신적 고통이 있을까 싶기도 했다. 하지만 나는 버텼고, 우습게도 지금도 살아있다는 건 사실이다. 인간은 우스운 존재다. 그렇게 큰 고통을 겪으면서도 죽음을 더 무서워한다.

살갗을 스치는 그의 몸짓 하나가 떠오를 때마다 나는 몸부림치고, 소리치고, 악을 쓰며 버텼다. 나의 모든 세상은 그에 대한 기억의 조각이 모이지 않아야 비로소 이루어졌다.

그 흔한 사랑도 날 구원하지 못했다. 그의 사랑은 너무 아팠다. 그의 그것이 들어올 때 느꼈던 수치심과 역겨움과 고통은 그 어떠한 구원 서사로도 날 구출해 내지 못했다.

그저 난 버틸 뿐이었다. 이 세상을, 그 상황을, 지금, 이 상황을. 이 계절은 날 비참하게 만들었다. 찌르르 우는 매미도, 무섭게 내리쬐는 밝은 햇살도, 파란 하늘에 떠 있는 하얀 뭉게구름도, 이글이글 끓는 아스팔트도 모든 건 나와 한 발짝 떨어져 있는 듯했다.

숨 막히는 거리감에 나는 집에서 나가길 포기했다.

그러자 슬슬 몸이 거부하기 시작했다. 이 계절을. 그 시간을. 나는 그렇게 집에서 나가지 못했다. 이 계절은 나에게 너무나 버거웠다. 버거워서 아무것도 하지 못하는 이 시간을 나는 미워했다. 아니, 많이 미웠다. 아무것도 못 하는 내가 미워서 나는 방안에서, 이불 속에서 울었다. 울고, 울고, 또 울었다. 혼자 판 동굴에 혼자 갇혀버린 거다. 나는.

사랑의 구원을 받지 못한 나는 그렇게 사랑에 치이고, 치이고, 치이며 살아야 했다. 그의 복종하라는 말이 날 이렇게 만들어 놓은 뒤 나는 사랑을 믿지 못했고 그 뒤로 한 모든 사랑에 나는 의문을 가졌다.

나의 몸을 원하지 않는 상대방을 믿지 못했고, 그의 바람대로 하지 못하는 나를 믿지 못했고, 아무런 행동도 취하지 못하는 나 자신에게 비참함을 느꼈다.

비참했고, 처참했다.

몬-스터

난 말 그대로 더럽고 추악한 괴물이었다. 그 사람들에겐 그저 말 잘 듣는 한 마리의 개였을지 몰라도 난 스스로를 괴물이라 생각했다.

그저 괴물이었다 나는, 내가 스스로 만들어버린 더럽고 추악한 끈적이는 괴물이었다. 끈적임은 닦아내도 계속 그 느낌이 남아있었다. 더러웠다. 역겨웠다.

내 모든 걸 빼앗아 간 사람은 내 모든 걸 가지고 있지 않을 텐데, 나는 그 손을 놓기까지 오랜 시간이 걸렸다. 한동안은 '방'이라는 글자가 붙은 모든 시설엔 가지 못했고, 누군가의 손이 올라가는 모습을 보면 몸을 떨었고, 아파했으며, 옷을 벗는 것에 두려움을 느꼈고, 남자의 성기를 끔찍하게 싫어했다.

그 누구도 내 편이 되어주지 않을 때, 나 역시 내 편이 될 수 없었다. 이를 알게 되었을 땐 이미 시간이 너무 오래 지나있었다. 나는 아무런 수도 써보지 못한 채 스스로 나락의 사이로 들어가고 있었다. 아무것도 하지 못한 나 자신이 바보 같았다. 그냥 멍청했다. 나는.

이런 기억을 이겨내 보려 억지로 성에 관련된 이야기를 들었다. 학교에서 하는 뭣도 아닌 성교육을 듣는 것도 힘들었다.

어느 순간부터 억지로 이겨내야 한다고 생각하니 아무것도 할 수 없게 되었다. 내 안에 검은 물체가 점점 커지는 것도 모른 채 내 몸도 점점 커져갔고, 나는 이 아이와 함께 살게 되었다.

내 성장 속도보다 빠르게 자라는 그 아이는 내 모든 것을 집어삼킬 듯 커졌고 나는 그렇게 그 아이에게 옴짝달싹 못 하게 되어버린 채 나이를 먹었다. 그 아이의 나이도 나와 비슷할지도 모르겠다. 끈적한 검은 물체는 내 팔과 다리, 몸통까지 점점 잡아먹어 내가 힘을 쓰지 못하게 만들었다. 나는 그저 그 아이에게 끌려다닐 뿐이었다. 흘러가듯 흘러가는 귓가에는 존재가 영혼에 딱 달라붙는 소리가 들려왔다.

"구원이 있는 쪽으로 곧장 걸어가십시오."

영혼과 몸이 떨어질 때는
아프고도 구슬프게 쩍 소리가 났다.

소모 품종

일시적인 것들은 결코 구원이 될 수 없었다. 캄캄한 어둠 속에 살던 나를 기어코 꺼내 주겠다며 내밀던 그들의 손을 나는 잡지 말았어야 했다.

지긋지긋해도 우울이 나의 일부라고 받아들였어야 했는데, 내게 내밀던 그 손의 온기가 너무 따뜻해서 나도 모르게 덥석 잡아버렸다. 그들이 나를 구원할 수 있을 거란 같잖은 희망 따윌 갖기 시작했고 결국 끝은 비극이었다.

내 사랑은 닳아 없어지는 것이 아니었는데 그들은 나를 있지도 않은 사랑을 위한 소모 품종으로 여겼다. 줄어들거나 없어지는 게 그들이 말하는 사랑이라면 나도 더는 하고 싶은 생각이 없었다.

일시적인 것은 결코 구원이 될 수 없었다. 신들은 참 이상했다. 우리를 벌줄 신은 우리의 악덕을 그 도구로 사용하는 것만으로는 부족한지. 우리 안의 선하고, 다정하고, 인간적이고, 사랑스러운 것들을 이용해 파멸로 이끈다.

나 역시 그에 대해 연민과 애정을 느끼지 않았더라면
지금 이 끔찍한 곳에서 눈물 흘리고 있진 않을 텐데.

등잔 밑

무드 없는 무드등
산소호흡기로 쓴다.

밤잠을 설치는 그 어느 날,

불빛의 숨이 멎지 않길 바라며.

언제쯤

내가 여름을 그저 사계절의 일부로 치부할 수 있을까

いつ頃夏をただ四季の一部と思えるだろうか

녹지 않는 설탕

같이 살게 된지는 꽤 많은 시간이 흘렀다. 익숙해질 법도 한데, 익숙해지지 않는다. 나는 내 우울을 가급적이면 티 내지 않으려 노력했다. 그저 내가 우울하다는 사실을 밝히고 싶지도, 누군가에게 알리고 싶지도 않았기 때문이었다. 노력에 비해 아마 나 빼고 모두가 알지도 모른다.

까만 아이는 더 이상 들어올 곳이 없는데, 더 이상 번지면 안되는데, 자꾸만 나를 잡아먹었다. 계속된 아이의 번짐은 날 점점 검게 물들였다. 흰색 물감에 검은 물감이 떨어지며 파장을 일으키는 것 같았다.

누군가의 색에 내 색이 닿으면 까매질까 두려워 철조망을 쳤다. 다행히 아무도 다가오지 않았다. 다가오지 않은 건지 관심조차 주지 않은건지 모르겠지만 지금 생각해보면 후자가 맞을지도 모르겠다.

스스로를 달래고 나를 혼자만의 세상에 고립시킨 뒤 나는 봄이 오면 하얀 눈처럼 새로운 종이를 꺼내 눈물로 유서를 썼다. 여름에는 봄꽃의 유서를 읽으며 타올랐고 가을에는 찬란한 태양과 핏빛 단풍으로 붉은색의 유서를 끄적였다. 겨울에는 서리 내린 밤 찬기가 가득한 바닥에 쌓인 눈으로 다시 유서를 쓰기 시작했다. 까만 그 아이는 유서를 쓰는 내 옆에 앉아 가만히 나를 지켜보다가 꾸벅

31

꾸벅 졸았다. 나의 유서는 그 아이와 같이 만들었다 해도 과언이 아닐 정도로 내 마음 한구석에 차곡차곡 쌓여갔다. 나는 그렇게 그 아이와 같이 죽어야겠다고 생각했다.

피폐해지다 못해 속이 썩어 문드러져 썩은 내가 나는 내가 대체 무얼 할 수 있냐 그 애한테 물었다. 대답은 없었다. 무음의 대답이었다. 그 아이와 내가 만들어 낸 공허함을 채우려 아무리 많이 발버둥을 쳐도 밑 빠진 독에 물 붓기였다.

더는 이 아이와 함께하지 않을 거란 헛된 기대는 하지도 않았다. 그저 그만하고 싶었다. 매일 밤 숨쉬기 버거워 깨는 일도, 갑작스러운 감정의 바다에 빠져 짠 바닷물을 내뱉는 것도 붉은 선을 스스로 만들어 내는 것도 그만두고 싶었다.

내 스스로를 피폐하게 만드는 건 그 아이였을까.
아니면 나 스스로였을까.

아무 생각 없이 잠들고 싶었다. 밀어내려 할수록 그 아이는 밀어내려는 내 팔까지 검게 물들였고 나는 좌절했다. 매일 밤 약을 먹고 잠이 들었다. 약에도 쉽사리 사라지지 않던 그 아이는 계속된 약의 공격에, 밤에는 칼날을 내렸다. 그저 잠이 든 잠깐의 시간만이라도 사라져 다행이라고 생각하면 꿈틀거리며 모습을 드러냈다.

제발 가라며 소리친 지 약 5년이 넘는 시간이 흐르고 있다.

나는 이따금 수면 위로 올라와 호흡하는 어떤 동물을 닮아 습관처럼 자주 우울해졌다. 아니 항상 우울하다고 하는 편이 맞는 걸까. 혀 밑에 녹지 않는 설탕 가루들이 있다. 달콤함을 알아차리기도 전에 목뒤로 꼴깍꼴깍 넘어가는 것들이, 잘라 낸 바늘 끝을 삼킨 것 마냥 내장을 떠돌면서 상처를 내다가 결국엔 날 죽음에 이르게 할 그런 종류의 우울을 그 아이가 만들어 냈다.

나는 5년 전이나 지금이나 여전히 영화를 보다가도, 노래를 듣다가도, 책을 읽다가도 불쑥 눈물을 흘리고 만다. 그때마다 그 애는 날 멍하니 쳐다보다 내 마음속으로 나도 모르게 들어왔다. 나는 그러면 수도꼭지처럼 계속 눈물을 흘렸다.

내 눈물을 먹고 자라는 그 애는 마치 기생충 같다. 눈물이라는 밥만 축내는. 그 애와 함께 방구석에 틀어박혀 쉬는 것이 제일 속편한 일이라니 절망스러웠다. 인생의 끝을 이렇게 맞이할 것만 같았다.

더운 여름에 바닥에 떨어진 능소화처럼 사람들에게 짓밟혀도 예쁘면 좋으련만 나는 그것보다 못하는 인간이었다. 누군가의 바늘 같은 말을 감탄고토하지 못하고 삼켜 죽음에 이르러도 이상하지 않은 그런 바보 같은 인간이었다.

자꾸만 죽고 싶었다가 또다시 살고 싶어졌다. 그 애가 나를 조종하는 것 같았다. 참으로 우스운 일이었다. 내가 만들어 낸 그 애가 날 그렇게 만든다는 건 결국 나를 죽고 싶게 만드는 것은 오로지 나의 존재 자체이고, 나를 살고 싶게 만드는 건 타인이라는 거였다. 그 애는 나를 죽고 싶게 만들었다. 나라는 존재의 무의미함을 가장 크게 느끼게 해주기 때문이었다.

내가 스스로 이겨내야 한다는 사실은 머릿속에 박혀있었지만, 몸은 말을 듣지 않았다. 결론적으로 나는 또다시 나로 인해 죽고싶어지는 셈이었다.

나는 그 애가 아닌 나로 존재하고 싶었다.
언제쯤 가능해질까.

그전에 내가 그 애로 존재하는 도중에 죽어버리면 어쩌지.

"아, 인간 안 하고 싶다."

붉은 손목에
당신의 이름을 적는다.

赤い手首にあなたの名前を書く

아침

아침이 오면 우리는 나란히 누워있었다.
내가 그 애의 목을 조르고 그 애가 내 목을 조르면서.

침대의 중력작용에서 벗어나기 위해 머리를 흔들고 겨우 몸을 일으
키면 보고 싶지 않던 빛이 눈앞에 서 있다.

어둠마다 거꾸로 매달려 있던 그 애는
내 옆에 붙어 떨어질 생각이 없다.

'오늘은 또 어떻게 버티나'

붉게 물든 손목은 아무렇지 않았다.

Inhale - exhale

그저 현실에서 도망칠 뿐이었다. 어떤 기억을 남기고 버틸지는 우리의 소관이 아니었기에 잊고자 하는 열망만큼 기억을 선명하게 새겨놓는 것이 없었다.

그 애는 잠자고 있는 내 옆에서 소란스레 움직였다. 가위로 내 생명선을 똑똑 끊게 만들면서. 나는 졸음에 부푼 얼굴로 똑똑 끊긴 내 생명선을 이어 붙이고 싶다는 생각을 했다.

그 애는 내가 죽길 원하지 않았다.

"죽는다는 건 그런 거라고 생각해, 더는 해코지 할 몸이 없다는 거. 난 네가 없으면 안 돼."

나는 그 애로 인해 몇 번이고 죽고 싶었다. 그 애가 나를 망치러 온 구원자라는 사실을 다시 한번 더 확인하게 되는 순간들이었다. 그래도 나는 그 애를 너무나 사랑해서 내가 너를 사랑한다는 그 이유 하나만으로 네가 나에게 어떤 상처를 줘도 나는 너를 떠날 수가 없었다.

손목을 긋고 싶다는 생각을 한 적도 많았다. 실제로 한 난도질에 너덜너덜해진 살가죽이었다.

문득 '네가 사라지면 나는 어떡하지'라는 생각을 했다. 나는 한 동안 이별 앞에서는 누구도 담담할 수 없다는 말을 미신처럼 믿어서 나를 괴롭힌 너를 잃는 것마저도 두려웠다.

난도질 된 손목은 괜찮았다. 아무렇지도 않았다.

아픈 건 가슴이었다.

"무언가가 명치에 걸려있어. 그게 뭔지는 몰라. 언제나 그게 거기 멈춰 있어. 브래지어를 하지 않아도 덩어리가 느껴질 정도로 아무리 크게 숨을 쉬어도 가슴이 시원하지 않아."

나는 그래서 너를 잃지 못했고 너를 잡은 내 손엔 점점 더 큰 힘이 들어가 나중엔 네 옷에 자국이 남을 정도로 나는 너를 세게 잡았다.

쇼핑카트

내 장바구니에 담겨 있는 게 오로지 알약뿐이라면 사는 이유는
무엇일까.

도돌이표

며칠 네가 잠깐 떠난 날 나는 수십 번도 넘는 자해를 했다. 맺히다 못해 넘치는 붉은 액체는 울며 지새우는 내 밤을 함께했다.

너 대신이었다.

다시 찾아온 너를 보고 나는 안심했다. 괜찮았냐는 네 물음에 정형화된 변명들을 되새기다 보면 비웃길 정도로 떠오르는 괜찮다는 말들과 그리고 전혀 괜찮지 않던 마음들이 합쳐져 불협화음을 냈다. 너는 그 음에 몸을 맡긴 듯 내 마음속에서 일렁거렸다. 나는 그런 너를 아주 소중한 것을 아끼듯 사랑했다.

악어새

입가를 닦을 때마다 보이는
난도질 된 손목을 보고 네가 말했다.

"왜 봄에 죽으려 했냐고." 사랑하는 네가 물었다.
"그럼 겨울에 죽을 거냐고." 내가 웃었다.

너에게 쏟아내 버린 내 진심과 너에게 건 내 전부와 여태껏 내
머릿속에 남아있는 너에 관한 기억들은 네가 너무 좋아서 견디기
버거웠던 날들에 머물러 있는 나를 바보로 만들어버렸다.

난 이제 네가 없이는 아무것도 할 자신도
아무것도 못 할 자신도 없었다.

건망증

내가 이유 없이 눈물을 흘리는 건 내가 옛날 생각을 오래 하고 있기 때문이란걸 이미 머리는 백번이고 천 번이고 알고 있었다.

머리는 알고 있었지만, 가끔 숨 쉬는 법을 까먹는 것처럼, 그래서 숨을 헐떡이는 것처럼, 몸은 알지 못했다.

아니, 알고 있었지만, 그 사실을 자주 까먹었다.

그래서 나는 자주 숨을 헐떡였다.

반창고도 자국을 남긴다.

과거라는 쇠사슬은 그런 나를 놓아줄 리가 없었다.

해가 지는 소리에 벌떡 일어나 나를 껴안고 "사랑해"를 소리치는
너를 나는 너무 사랑해서, 그래서 나는 너를 놓아줄 수가 없었다.
떨어지지 않는 너를 떼어 놓을 수도 없었다.

내가 손목 위로 새긴 여류의 비늘이 유영을 시작하면 너는 그렇게
다시 내 마음에 붙어 떨어질 생각을 하지 않은 채 잠이 들었다.

아주 오래.

난 나의 모든 살점이 거스러미로 느껴진 적이 있다.

1. 매우 그렇다
2. 그렇다
3. 보통이다
4. 그렇지 않다
5. 매우 그렇지 않다

스너프 필름

사람에 대한 트라우마는 싫은 기억과 싫어할 상대를 혼동하게 만든다. 극복하려고 노력해도 비슷한 상황이 오면 결국 뒷걸음치게 만든다. 끔찍한 기억은 아직 남아있고, 그게 반복되었으면 하는 사람은 아무도 없으니까. 내가 싫어해야 할 상대가 그가 아닌 걸 알면서도. 겹치는 잔상 앞에선 어찌할 도리가 없다.

생각 의자

가만히 있다가 혼자 우울해져서 울분을 토하는 게 너무 지겨워 도대체 내가 어떠한 죄를 지었길래 하루하루가 이렇게 곤욕스러운지 정신이 나갈 지경에 도달했다. 나는 자주 나를 제외한 것들에게서 어떻게든 내 우울의 원인을 찾으려 애썼고 결국 스스로가 매일 우울을 만들어 낸 꼴이었다. 이러한 시간 속에서 사는 내가 너무 안쓰럽고 안타깝다.

왜 감정을 주체하지 못할까.

나는.

못났다. 정말.

답답해서 나온 밖은
나 없이도 잘 돌아감을 너무 확실히 인식하게 했고,
오늘 그은 빨간 줄은 다시 날 죽고 싶게 했고
나 빼고 다들 걱정 없어 보이는 얼굴들에
괜스레 더 답답해지는 마음이었다.

어떻게 살아야 하는 거지

바보에게 바보가

누구에게나 가라앉는 시기는 존재한다.
그건 이상한 게 아니니까.

마음 놓고 얘기할 수 있는 사람의 가슴팍에 안겨서 아무 말도 하고 싶지 않을 때도 있는 거니까.

삶의 어딜 가도 정답이 없는 것 같으면 잠시 놓아도 탓하지 않는다. 도망치는 것이 때로는 답이 될 수도 있고, 이겨내라는 세상의 목소리에 가끔 져도 실패한 삶이 되지 않는다.

지치고 우울한 날에 아무도 없는 곳에서 숨죽여 울던 그 울먹임을 누군가 들어줬으면 하는 바람이 바람을 타고 누군가의 귓가에 닿길 바랐고 위로받고 싶은 마음은 자꾸만 자라났다.

여태 수많은 일들이 있었고, 나는 수없이 좌절하고, 고립당하고, 괴로워하고, 억겨워하고, 슬퍼하고, 울먹이고, 울고, 소리치고, 악을썼지만, 그래도, 그래도. 모든 건 지나간다.

그냥 아프지만 말고 삶을 살아봐야겠다고, 돈 주고도 경험하지 못할 그 일을 기억하며 다시 아파하겠지만 그럼에도 나는 살리라고 오늘도 다짐하고, 하루를 버티고, 날씨와 싸우고 투쟁하며 다시 올 새벽을 두려워하겠지만, 그럼에도 살겠다고 다짐했다.

나에게 어떤 일들이 다가올지 두려워하지 않겠다고, 나는 그렇게 깊은 생각에 빠져 불안해하지 않겠다고 다짐했다.

다가올 아침의 햇살을 웃으며 맞이할 수 있는 날이 조금 더 빨리 찾아오기를.

나의 여름이 조금은 찬란히 빛을 되찾을 수 있기를.

빗자루

주황색, 연갈색
상태가 좋은 빗자루는 하나도 없었지만
그냥 웃으면서 청소했다.

대걸레를 내던지며 춤을 추는 친구.
의자를 올리면서 비장한 표정을 짓는 친구.
그 사이, 몰래 눈을 맞추며 웃고 있는 남녀.

그걸 싱긋 웃으며 눈치채버린 나.

여름이었다.

도드라진 건 핏기뿐이었다
레버를 잡아당긴 듯 솟구치는 액체
미흡하지 않게 난도질 된 내 몸은
파도보다 시원하게 보일 때가 있다
솔직함을 그려낸 나의 미술
라디오보다 희미한 소리를 내며 울지만
시치미를 떼고 다시 칼을 든다
도드라진 건 핏기뿐이었다

게이름

도드라진 건 핏기뿐이었다

레버를 잡아당긴 듯 쏟구치는 액체

미흡하지 않게 난도질 된 내 몸은

파도보다 시원하게 보일 때가 있다

솔직함을 그려낸 나의 미술

라디오보다 희미한 소리를 내며 울지만

시치미를 떼고 다시 칼을 든다

도드라진 건 핏기뿐이었다

교환

기억해 줘.
네가 추억하던 그곳에는 나도 있었다는 걸.

네가 추락하던 그날의 기억에
아직 나도 머물러 있다는걸.

사용하지 않아 녹슬어 가는 창자에 음식을 쑤셔 넣었다.

숨을 쉬기 위해 씹는 건 유쾌한 일이 아니다.

녹음 사이 매미들은 푸른색을 모른다.

매미가 죽었다.

매미의 주변에는 다른 매미들이 찌르르 울었고 여름날 태풍이 휘몰아쳤다. 비가 내렸고, 바람이 불었다. 매미의 사체는 하루가 지날수록 점점 사라져갔다. 물길을 따라, 강물을 따라 어디로 흘러 갔는지 모를 그의 날개와 내장과 겉껍질과 머리와 다리와 짓밟힌 몸통의 한 조각, 한 조각은 한 순간에 흩어졌다.

사방으로.

매미의 영혼은 이제 없다.

세상 곳곳엔 그가 남아있을 테지만.

너는 증발했다.

한순간에.

내가 잰걸음으로 달려가 네게 도착했을 땐 너는 이미 증발하고 이 세상에 존재하지 않았다. 여름날 매미들의 하모니가 싫다고 도망치던 너는 내게서까지 멀어졌다. 검은 물을 다 끌어다 놓고 너는 보이지 않았다.

나는 푸른색으로 시를 썼다. 서서히 바다가 보이면 이미 떠난 네 얼굴이 잔상처럼 남는다. 나는 푸른색으로 너의 얼굴을 쓴다.

푸른색엔 왜 상처가 안보일까.
터진 입술도 왜 반짝이기만 할까.

나는 푸른색으로 시를 지운다. 나의 밤과 나의 바다는 그렇게 너로
그려졌다. 넘어지는 곳에서 검은 파도가 출렁거린다.

나는 푸른색으로 너의 등을 안는다. 푸른색엔 왜 소름이 없을까.
몽둥이로 맞은 등도 왜 출렁이기만 할까.

나는 푸른색으로 시를 지운다. 나의 밤과 나의 바다는 그렇게 너로
지워졌다. 바다에 밤이 있다는 것을 처음 안 작은 소녀를 데리고
바다는 점점 더 깊은 곳으로 그 소녀를 인도했다. 상처를 감추기 위
해 제 발로 푸른 곳에 들어가 상처를 감추기 시작한 소녀를 인도
했다.

깨진 발등이 드러나도, 소녀의 여린 울부짖음에도 바다는 소녀를 인
도한다. 소녀의 머리가 보이지 않는다. 검은 물을 쓰기 시작한 소
녀를 데리고 바다는 조용히 어딘가로 이동한다. 파도의 윤슬은 잠
잠히 그 둘을 따라갈 뿐이었다.

나는 힘없는 팔로 소녀의 작은 손을 찾아 휘적이고 멍한 생각으로
흐릿하게 그 소녀만 그렸다. 매미는 계속 울었고, 태풍에 모든 것들
이 날아갈 듯한 바람이 부는 여름날이었다.

지우개

두 눈을 감을 때는 나의 얼굴을
두 귀를 막을 때는 나의 목소리를
마음이 지칠 때는 내가 준 감정을
몸이 힘들 때는 내가 준 온기를
조금씩 지워가겠지

그래, 어쩌면 나의 이름까지도

계절성 기후장애

이제 와서 하는 말이지만 정말 좋아했어.

이 세상에 너 외엔 아무도 보이지 않을 만큼,
네가 보이지 않으면 웃음도 입맛도 모두 잃어버릴 만큼,
아무리 힘든 일이 있어도 너만 보면 웃을 수 있을 만큼,
이 세상 그 누구보다 너를 사랑해줄 수 있다고 맹세할 만큼,
네가 날 사랑하지 않아도 계속 이 자리를 지킬 수 있을 만큼.

네가 내 마음을 그 정도로밖에 생각하지 않았을지라도,
네가 다른 사람과 행복한 나날을 보내고 있을지라도,
난 그 오랜 시간 동안 변함없이 너를 사랑해왔음을.

이 여름에 너를 이렇게 앓고 있는 나를 보면
널 정말 좋아했다는 걸 너도 알 수 있을 텐데.

난 요즘도 너를 앓아 많이 아파하고, 많이 울고, 많이 웃고.
네 생각에 웃고 울고 화내고 짜증 내고
그런 내 행동에 부끄러워하며 이 계절을 보내.

선풍기

반복은 차가움을 만들기도 하는 것일까?
기분 좋은 바람이 방 안을 채우고 나면 꼭 감기에 걸리곤 한다.

그럼에도 나는 이 반복을 멈출 수 없었다.

매번 마주해도 익숙해지지 않는 여름을 이겨내는 건
그걸 이겨낼 수 있을 익숙함뿐이기 때문이다.

두괄식

올해에는 어떠한 계절이 와도 떠오르는 사람 하나 없길 바랐는데, 나는 역시 추억에 너무 약해, 내가 사랑했던 것들을 도무지 잊을 수가 없다.

네가 좋아하는 음료, 네가 좋아하는 초콜릿, 네가 애용하는 브랜드, 네가 입은 청바지, 네가 주로 입은 옷의 색상, 네가 신은 신발, 네가 건네준 검은색 우산, 네가 나의 손등에 장난스럽게 남긴 자국, 네가 멍하니 있을 때마다 씰룩거리는 입꼬리, 네 웃음소리, 네 접히는 눈매, 네 붉은 눈가, 네 말투, 네 억양, 네 입에 물린 담배, 네 손가락 마디, 너의 거짓 같은 품 안, 네 반듯하지 못한 걸음걸이, 네 화연한 뒷모습, 네 손에 쥐여준 음료, 네 손에 쥐여준 초콜릿. 너의 실망한 눈초리 한 번이면 집에 가다가도 다시 네게로 돌아간 나. 네게 쏟아버린 나의 진심.

너를 향해 건 나의 전부.

너, 너, 너, 너.

여태껏 나의 머릿속에 남아있는 너에 관한 기억들.

너, 너, 너, 너.

네가 너무 좋아서 견디기 버거웠던 그날들.

너, 너, 너, 너.

내가, 내가.

내가 머물러있는 그때, 그 과거.

나는 너의 모든 모습을 사랑했고 내 사랑의 크기가 너무 컸는지,
너는 돌연 죽어버렸다.

내 전부, 내 세상은 너였는데 이번 여름엔 네가 떠오르지 않기를
바랐는데 시원한 음료를 들고 자신은 이 음료가 제일 좋다고 웃으며
말하는 네가 당장 내게 달려올 것만 같아서

나는 추억을 바리바리
담아 큰 가방을 메고 이번 여름을 보낼까한다.

내 추억이 강한 만큼 당신에 대한 향수도 짙으니.

세상 만물에게 사랑받고 싶은 바보 같은 마음은
세상 만물을 사랑하게 만드는 최악의 시나리오를 가지고 왔다.

그림낙서

고등학교 시절, 6월의 틈 사이로 바람이 춤추는 계절이 왔다.

무더운 초여름에도 고3 아이들의 정답과 오답을 가르는 색연필은 멈추지 않았다. 난 다른 아이들의 연필 소리를 따라잡으려 오지선다형이라는 숲속을 열심히 헤맸다. 그러던 중, 내 연필이 아닌 다른 연필이 나의 교과서를 더럽힌다.

" ... "

오목은 못 참지.

네버랜드

어제 하루 동안의 내 표정이 기억나지 않는다.
꼭 꿈속 잔상처럼 기억하려 할수록 백지가 되어간다.

수많은 생각들과 그에 따른 대가는 다음날 새로운 해가 뜰 때까지도 나를 잠 못 들게 만들어 버리곤 한다.

가끔 어린 시절로 돌아가고 싶다.

아무런 고민도, 걱정도 없이 마음껏 놀이터를, 이 동네를 활보하고 다녔던, 그날로 돌아가고 싶다. 초등학교 입학식 날 뒤에 서 있던 엄마를 바라보며 손을 흔들던 그때로, 운동회날 엄마의 응원에 달리기를 열심히 하던 그때로, 넘어지고 쓰러져도 해맑게 웃으며 일어날 용기가 있던 그때로 하염없이 돌아가고 싶어진다.

누군가 내게 시곗바늘을 돌려 그때로 되돌아간다면 후회하지 않을 자신이 있냐고 묻는다면 확실한 답을 내진 못하겠지만, 어렸을 적 환상이라는 포장지에 쌓인 망상이었던 어른의 모습은 이미 엉망진창이 되어버렸기 때문에 다시 한번 그때처럼 꿈속에서 반짝이듯 빛나던 하늘을 날아보고 싶다.

"그날 나와 함께 놀았던 나와 내 친구들의
어린 영혼들은 그곳에서 잘 지내고 있나요?"

때 묻은 지난 날

맞지 않는 신발을 신고도 웃을 수 있던 때가 있었다. 내일이 어디로 향하는지 몰라도 가볍게 잠들 수 있던 때가 있었다.
그림자만 보고도 사람을 믿던 때가 있었다. 밟혀도 꿈틀거리는 것이 청춘이라 주먹 쥐던 때가 있었다. 포기하는 것이 성취하는 것보다 값지다고 힘주어 말하던 때가 있었다.

돌아보면, 돌아보면,

내가 나였던 때가 나에게도 있었다.

내일도 아침부터 괜찮은 척을 해야 하니까. 얼른 자야겠다.

쿨피스

—

우유갑에 담긴 아이스크림에 개미가 떨궈졌다.

소다 맛의 풍부함 가득한
가장 차가운 세상이지만

배가 부를 걱정은 없는 그곳에서 개미는
길을 찾은 걸까
길을 잃은 걸까

책갈피의 고민

종종 멍청한 생각을 했다.

차에 치이면 좋겠다던가,
높은 곳에서 떨어지면 어떤 느낌일까 라던가.

정작 나는 스스로 죽을 용기는 없는데.
살아갈 용기는 더욱 없었다.

나라는 존재는 주변에 그닥 도움이 되지 않았다.

내가 없어야 해피엔딩이라면
그럼 그건 누굴 위한 행복이지

?

푸른언덕

괴물과 한방에 있는 것은 그 나름대로 고역이었지만 밖을 나가는 일은 침대에서 일어나는 것조차 하지 못하는 나에게 너무나 버거 웠어요.

나는 그렇게 세상과의 단절을 선언한 채 혼자 커다란 우물을 팠어요. 점점 들어가는 깊이에 빠지기도 했지만 멈출 수 없었어요. 이 일을 하지 않으면 괴물에게 잡아먹힐 것만 같았거든요.

나는 그렇게 우물에 갇혔어요. 그렇게 다시 일어나기 위해 나는 계단을 쌓고 멈추고 쌓고 멈추는 일을 시작했어요. 이 일은 지금도 계속하는 중이에요. 언제 끝날지는 잘 모르겠지만, 점점 넓어지는 파란 하늘이 보인다는 건 그만큼 내가 발전하고 있다는 말이겠죠?

끝이 보이지 않을 것 같던 여름도 슬슬 중반부를 달려가고 있어요. 다들 이 더운 날들을 잘 이겨내고 계시는가요. 나는 아직 이 계절을 이기지 못해 오늘도 어영부영 살아가는 중이에요. 아직 침대 이불 속이 가장 편안한 장소고 밖을 나가는 일은 한참 고민해야 가능하지만 그래도 나름 열심히 살아보려 버둥대는 중이에요.

내가 겪는 우울의 깊이가 얕아질수록 바닷물의 농도가 옅어질수록 나의 상태는 점점 괜찮아질 거예요. 그렇겠지요?

보이지 않던 하늘이 보이고,

그 하늘이 넓어지고,

점점 더 파래지는 모습이

내 눈에 보이는데 내가 어떻게 포기할 수 있겠어요.

기도

내게 마법이 일어나지 않는 이상
나아지지 않을 것 같았다.

무신론자였던 난
그날 처음으로 모든 신에게 빌었다.

"자고 일어나면 제가 사라지게 해주세요."

'어렴풋이 기억난다.' 그 문장이 내가 된다면.

마모되어 버린 청춘

우리 사이에는 단지 우리를 살리기 위해 밤새 헐떡이는 눈물이 있었다. 바다가 파도를 토해내듯 소리 없이, 서로에게 보이지 않게, 흘린 눈물들이 있었다. 갈 곳 잃은 눈물들은 더 이상 돌아갈 곳도, 찾아갈 곳도, 아무것도 없어서, 그렇게 밤새 울음을 토해내는 바다 곁을 떠돌았다.

"길 잃은 나그네 같다."

무작정 집을 나와버린 네가 우리의 몰골을 보고 처음 내뱉은 말이었다. 매일 보던 바다는 새벽에 보면 새로운 곳이 되어있었다. 아무도 없는 시간에 너를 마주 잡고 파도를 넘을 때면, 언제나 이곳엔 네가 되지 못한 나와, 우리가 되지 못한 우리가 있었다.

몇 시간이고 무작정 바다를 따라 파도를 넘어 걸으면, 너는 항상 바다의 맞은편에 쭈그리고 앉아 헐떡이며 울었다. 가빠지는 호흡이, 파도가 내는 슬픈 곡조를 따라갔다.

너는 그러다가 갑자기 모래사장에 누웠다. 너는 그렇게 누워 한참을 또다시 소리 없이 울었다. 아무도 봐주지 않고 그 누구도 토닥여 주지 않는 너의 작은 흐느낌은 이미 통곡하는 파도에 묻혔을지도 모르는 일이었다.

"부서지는 파도가 되고 싶어."

너의 떨리는 목소리에 너와 나 사이엔 한순간에 또 다른 적막이 생겼다.

비조차 내리지 않던 여름에도 너는 반팔을 입지 않았다. 물에 젖었을 때 훤히 보이던 손목의 빨간 오선지가 너무 아파서였을까. 너는 쓰라리다는 말 한마디 하지 않았다. 너 스스로 상처를 마주하는 날이 오면, 그날은, 하늘이 울어줄까. 그러면 나부터 너까지 울어야 할 빗방울은 얼마나 많을까. 만약 우리가 감당하지 못할만큼 많은 비가 내린다면, 그땐 같이 가라앉자. 하늘에 구멍이 뚫린 듯 많은 울음이 한꺼번에 토해진다면 우리 그날은 울음에 익사하자.

우리는 파랗고 낮은 담에 칠해진 가짜 구름에 손바닥을 대보는 것만으로도 숨이 막혔다. 우리의 청춘은 푸르지 못했고, 곧 무너질 참혹한 너머를 우리는 너무 잘 알고 있었다. 지는 해를 바라보며 울었고, 뜨는 해가 무서워 숨었다. 아무것도 될 수 없는 미래가 바로 코 앞에 붙어있는 것만 같아서, 너는 종종 눈을 뜨는 것을 무서워했다. 당장 미래에 살아있는지도 모르는 우리에게 물어볼 수도 없는 노릇이어서. 우리는 그렇게 또 한참을 쏟아내야 했다.

.

.

.

무너져 가는 여름밤,

이미 닳아서 마모되어 버린 청춘 속에서,

서로가 할 수 있는 건,

사랑 말고는 없었다.

어디서 읽었는데 사람의 인생에는
똑같은 양의 행운과 불행이 존재한대요.

파랑 이야기

너는 항상 위태로워 보였다. 여린 마음에 생긴 작은 생채기에선 자꾸만 피가 솟구쳤다. 어쩌면 나는 그런 네가 조금 더 강해지길 바랐을지도 모른다. 너는 누구보다 살고 싶어 했고, 누구보다 처절했으며, 누구보다 쉽게 극단적인 선택을 입에 담았다. 모두가 널 싫어한다는 말에 너는 바보처럼 웃었다. 너는 파란색이었다. 웃는 얼굴도, 네가 흘리는 눈물도, 흩날리는 머리카락도 너는 전부 파란색이었다.

사랑은 바다 같다고 말하던 너와, 계속 내리던 비에 지쳐가던 거리를 우산 없이 걸었다. 별안간 도착한 파도의 맞은편에 서 있는 우리. 아물지 않았던 상처. 아파하지 않아서 생겨버린 흉터는 또다시 많은 빗방울을 쏟아내야 했다. 우리의 어깨를 적시는 비는 고작 내리는 소낙비에 그치지 않았다. 물속에서도 숨 쉬는 법을 기억해 내면서, 다채로운 아픈 말들과, 대체될 수 없는 사람 사이를 힘차게 유영하는 도구에 지나지 않았다.

살아가느라 사랑을 잊고 지냈던 누군가의 사계에도 끝내 가지고 싶었던 세계가 있었으리라.

그날 낡은 일기장에 적은 우리의 파랑 이야기는
그렇게 끝이 났다.

모험가의 종착역

돌아왔구나.
그런데 좀 서운하긴 하네.
꼭 너는 추억의 종착역에서만 나를 찾더라.

그래도 좋아. 잘 지냈어?

내가 너에게 풀어줄 수 있는 썰은
단지 우리 과거에 관한 얘기밖에 없지만
즐겁게 얘기하자!

나이가 들어서인지 내가 많이 버벅거리기도 하고
또 가끔은 몇 분 동안 멍하니 하늘만 바라보기도 하고
심지어는 함께한 추억을 깜빡할 때도 있지만,

내가 죽기 전에 만나러 와줘서 고마워.
숨이 다하기 전에 또 봐.

                        — 너의 가장 친한 친구였던, 너의 게임기가 —

잘못된 글을 지우듯 나는 끊임없이
나에게 빨간색 밑줄을 그었다.

다정한 빨간 펜

사라지고 싶을 때면 연필을 잡았다.

굳이 유서라고 적지 않아도 누구나 유서라고 판단할 수 있는 문장들을 나열하고, 단어를 고쳤다.

길고도 짧은 문장들을 하얀 바탕에 수놓으면 마음에 박음질 되듯 눈에선 피눈물이 나왔다.

분명 사라지겠다 다짐하고 쓴 문장들이
오히려 나를 살게 만들었다.

문장의 다정함이 나를 살렸다.

흐르는 눈물의 강수량을 담듯

나는 여름 창가에서 빗방울을 세는 법을 배웠다.

파가니니

내가 악마라면 내 몸속 그득한 선은 무엇인가요.

비는 오고 나는 죽어가고 흐르는 선율 한 가닥조차도
듣지 못한 채로 죽어가야 했던 쓸쓸한 곡조가

내 마음 한구석을 쓸어댔습니다.

천천히 죽어갈 시간이 필요했고
천천히 울 수 있는 사각지대가 필요했습니다.

폴라로이드

라면에 뜨거운 물을 받아놓고 친구와 휴대폰을 바라본다.
게임 영상들을 보며 낄낄거리다가도
컵라면이 익으면 금세 우리는 조용해진다.
중학교 2학년, 학원 가기 전 우리의 모습.

불특정다수의 행복을 비는 일은 생각보다 쉬웠고
나 자신 한 명의 행복을 비는 일은 생각보다 쉽지 않았다.

지난 이틀 동안 쓴 일기장을 펴 다시 읽어보았다.
다듬어지지 않은 투박하고도 절박한 문체가
가슴 깊이 파고드는 것만 같았다.

가끔 네가 떠오르지 않을 때면
허공에 대고 네 이름 세 글자를 불러.

그럼, 네 대답은 들리지 않고
폐부에 공기만 가득 차.

결실

되돌아보아도 되돌릴 수 없는 날들 속에서.

쉽게 찢어지고 짓무르는 피부와
멍든 뒤에야 아픔을 아픔이라 발음하는 입술.

모래 폭풍은 언젠가는 잠들게 되어 있습니다.

다시 거대한 모래 폭풍이 밀려오기 전까지.
너와 나라는 구분 없이 빛을 꽃이라고 썼습니다.

지천에 피어나는 꽃, 피어나면서 사라지는 꽃.
하나 둘. 하나 둘.

여기저기 꽃송이가 번질 때마다 물든다는 말.
잠든다는 말.

나는 나로 살기 위해 이제 그만 죽기로 하였습니다.

Lost Boy

안녕. 나는 오늘 조금 특별한 이야기를 써볼까 합니다.
별거 아닌 것처럼 느껴질지도 모르겠지만 한때 나의 세상에 전부
였던 사람들에게 하고 싶은 말을 드립니다.

종종 머리가 거부합니다. 나이는 이미 먹을 대로 먹었지만
'무슨 다 큰 어른이 그래'라는 말을 들을 때마다 나는 아직도 내
가 어린아이인 것 같습니다.

난 아직도 반짝이는 하늘을 나는 것을 좋아하고 초콜릿 칩 쿠키를
산처럼 쌓아놓고 먹으며 행복해하고 힘이 들면 엉엉 우는데 세상
이 정해놓은 어른이라는 기준의 벽은 생각보다 높아서 나는 다시
날아보려 하다가도 높은 벽에 자꾸만 머리를 부딪힙니다.

내 키에 몇십 배는 되는 높디높았던 시계탑도 잘만 날아다녔지
만, 이 벽의 높이는 생각했던 것보다 훨씬 더 높은 것 같습니다.
어릴 적 내게는 친하다고는 못하지만 그래도 인사 정도는 주고받는
사람이 있었습니다.

그 사람은 바다를 유랑한다기보단 쫓기는 사람이었지만요. 너무
현실적인 사람이라 뭐든 자신이 최고가 되어야 하는 사람이었습
니다. 다른 이들을 짓밟고 자신이 위로 올라가야 한다고, 그래야
자신이 살아남을 수 있다면서 말이죠.

한쪽 팔을 먹힌 뒤에도 그는 똑같이 쫓기며 살았습니다. 그의 팔을 먹어버린 현실이란 커다란 그림자는 시계 초침 소리를 내며 째깍째깍 그 사람을 집어삼킬 듯 다가왔습니다. 당시 나는 그의 상황을 이해할 수도, 이해하지도 못했기에 아무 걱정 없이 하늘을 날아 그를 따라다니며 물었습니다.

"어딜 그렇게 바쁘게 다녀? 그냥 우리랑 놀자. 하늘을 나는 거야! 정말 멋지지 않아?"

"난 너 같은 아이들은 싫어. 철없고 버릇없고 자기네만 알고 시끄럽잖아. 날 방해하지마!"

그때 소리치며 나에게 휙이휙이 손짓하던 그의 표정은 두려움에 가득 차 있는 듯 보였습니다.

난 아무것도 몰랐지만요.

약간의 반짝이 가루와 조금의 공상이 있으면 나는, 아니 우리는 하늘을 날 수 있었습니다. 내 친구들과 나는 모두가 잠든 밤하늘을 날아다니며 새로운 친구를 만나는 것을 굉장히 좋아했습니다.

"안녕 친구! 우리랑 하늘을 날아보지 않을래? 하늘엔 우릴 막아 세우는 장애물도 없고 다른 사람들이랑 부딪힐 일도 없어!"

그때 우리는 우리가 하고 싶은 걸 했습니다. 누구도 우리에게 왜 그러냐 묻지 않았으니까요. 그때의 난 사람들과 부딪힐 일이 생겨나는 것이 아니라 내가 피해 다녔다는 걸 조금 빨리 알아야 했습니다. 나와 함께 해줄 사람들이 많다는 자신감에 내가 하고 있는 이 말들이 합리화라는 사실을 잊어버렸으니까요.

며칠 전 내 소중한 시절을 함께 한 친구를 만났습니다. 솔직하게 말하자면 만났다기보단 내가 찾아간 거라고 할 수 있지만 하필이면 그 시기가 과거에 약속했던 봄 대청소를 할 때였기에 난 그 친구를 찾아갈 수밖에 없었습니다.

내가 이렇게 된 건 그 친구를 만나고 난 뒤였습니다. 그 친구도 이 글을 보고 있을지도 몰라요. 친구는 처음 만났을 때와 같은 모습이었습니다. 불이 꺼져있어 어두웠기에 잘 보이진 않았지만, 방의 분위기는 전과 바뀐 것 같아 보였습니다. 그래도 오랜만에 보는 친구의 모습에 반가웠습니다.

"안녕, 웬디"
되돌아오는 익숙한 목소리에 나는 신이 났습니다.
"안녕, 존은 어디 있지?"
나는 두리번거리며 내 두 번째 친구를 찾았습니다.
"존은 이제 여기 없어."
"마이클은 자는 거야?"

"응"

짧은 대답을 하곤 그 아이는 서둘러 말했습니다.

"저 애는 마이클이 아니야."

새로운 친구라는 생각에 나는 더욱 신이 났습니다.

"남자아이야, 여자아이야?"

"여자아이"

대답한 뒤 친구는 잠시 머뭇거리더니 다시 말을 이어갔습니다.

"나랑 같이 날아가려고 온 거니?"

"물론이지! 지금이 약속한 봄 대청소 때라는 걸 잊은 거야?"

나와의 약속을 잊은 게 서운해 나는 덜컥 윽박지르는 듯이 말해버
렸습니다.

"나는 같이 못 가. 나는 방법을 잊었거든"

"내가 당장 다시 가르쳐줄게!"

내가 말하자 친구가 일어나며 날 타이르듯 말했습니다.

"괜히 나에게 요정 반짝이 가루 뿌리지 마."

난 그제야 알게 되었습니다.

그 순간 두려움이 물밀듯 몰려왔습니다.

"어떻게 된 거야?"

내가 물었습니다.

"불을 켜면 자연히 알게 될 거야."

"불 켜지 마!"

나는 필사적으로 소리쳤습니다.

방에 불이 켜지고 훨씬 커진 친구는 내 머리를 쓰다듬었습니다.

나는 마주하고 싶지 않은 사실을 마주해야만 했습니다. 나와 같이 다니던 작은 요정 친구는 어느 날 표정이 변한 뒤 나에게 요정의 반짝이 가루를 전부 주고는 씁쓸한 표정으로 나갔습니다.

"너도 빨리 깨닫는 게 좋을 거야. 이건 허울뿐인 가능성을 바라보고 있는 거만 못하다는걸."

알 수 없는 말과 친구의 침울한 얼굴이 내가 본 친구의 마지막 모습이었습니다. 친구는 그렇게 우리가 평생 살아왔던 섬을 나갔습니다.

나는 이제 어엿한 사회인이 되었습니다. 여기에서는 어리광을 피우지도 현실을 덮어 둔 채 뛰어놀 수도 없지만 나는 이제 조금은 어른이 되어보려 노력하는 중입니다. 나는 내 방 한 편에 걸려있는 초록색 모자를 볼 때마다 아직도 마음이 아리고 다시 어린아이로 돌아가 하늘을 날아보고 싶지만 참고 있습니다.

하늘을 나는 방법도 요정의 반짝이 가루를 이용하는 방법도 시간이 째깍째깍 지나가면 까먹을 것만 같아 기억해 보려 노력하지만, 기억하려고 하면 할수록 머릿속은 점점 백지가 되어갑니다. 가끔은 아쉬운 마음에 요정 가루가 들어있는 작은 주머니를 뒤적거리다 밤하늘에 휘릭- 날려보곤 합니다. 난 하늘을 날기엔 너무 커버려서 이젠 날 수 없다는 걸 알고 있지만요.

그때 나와 함께 하늘을 날았던 친구들에게 물어보고 싶습니다.

"당신의 네버랜드엔 아직도 내가 기억되고 있나요?"

여백이 많지 않아 글을 줄여보려 합니다.
나의 어린 추억들이 흩어지지 않고 남아있기를 바라며

- peter pen

달콤한 수박

파란 하늘엔 구름이 떠다녔다. 아이의 마음엔 제 몸보다 커다란 꿈이 생겼다.

어른들의 불완전에 바람 앞 갈대처럼 흔들리는 것은 아이들이었고 작은 날갯짓으로 하는 비행은 추락하기 쉬운 미완성이었다.

아직 채 완성되지 못한 비행선을 하늘로 띄워 커다란 구름 사이를 가르게 하는 것은 잠깐의 실수 따위의 아지랑이였을 뿐이라 치부한들 아이들의 가시 돋은 비틀어진 마음을 거둬내기엔 이미 늦은 후였다.

아이는 자신의 꿈을 부정했다. 본인 스스로 부정하기 시작한 작고 여린 마음은 여름날 햇빛 아래 아이스크림처럼 녹아내렸다. 환락 속에 살아가며 벼른 칼은 생각보다 첨예했다. 비록 그 칼로 찌른 것은 아이들 본인들이라 할지라도 아파했던 건 지금까지 불완전했던 어른들이었다.

아이들의 동공 속에서 밝게 빛나며 살아왔던 동심은 아스라이 부서져 팽창했다. 커다랗던 구름은 이젠 작은 조각구름이 되었다. 이제 막 꿈을 꾸기 시작한 빛나는 동심과 어디선가 느린 빛을 내뱉으며 숨을 쉬는 작은 동심 사이에는 무엇인지 모를 괴리감이 존재했지만, 그 누구도 이미 추락한 동심을 다시 날아오르게 할 수 없었다.

어른들의 초점 없는 눈엔 동심이라는 작은 빛은 계속히 빛났다. 여름 장마에 계속 내리는 비처럼, 그렇게 계속 반짝였다.

장마는 지속되고 수박은 맛없어진다. 여름이니까 그럴 수 있다. 어른이니까 그럴 수 있다.

태양 아래의 잘 익은 단감처럼 단단했던 지구가 당도를 잃고 물러지던 날들이. 아주 먼 곳에서 형성된 기류가 이곳까지 흘러 넘어와 영향을 주던 시간이. 지구가 당도를 잃듯 어른아이들의 순수한 마음도 그렇게 당도를 잃어갔다.

비가 내리고, 자꾸 내리고, 계속 내리던 시절이. 세계가 점점 싱거워지던 날들이 아이들을 이렇게 만들었나. 아이들의 바람이 그리 이루기 어려운 것이었나. 커다란 비행기의 날갯짓으로 여러 번 잘린 조각구름은 모두의 꿈을 조금씩 나누어 싣고는 하늘을 떠돌아다녔다.

구름 한 점 없는 날들이 모두가 싱거워져 꿈을 잃어버린 날들이 사무치게, 사무치게 미워지는 날들이 있다.

커다랗던 꿈이 작아지고 몸이 커져 버린 날들이 그들을 이렇게 만들어 버린 시간이 모두가 낭만이라 부르는 청춘이 어른아이들의 꿈속에서 요동치고 있었다.

밖으로는 절대 나올 수 없는 그런 꿈들도 낭만이라 치부할
어른아이들은 그렇게 작은 동심을 지키려 다시 잠에 빠진다.

꿈속에선 그들의 동심이 지켜질 수 있을까.
꿈속에서의 커다란 마음도 낭만이라 치부할 수 있을까.
지나가는 조각구름을 붙잡고 물어봐도 그 답을 알 수 있을까.

지구에 있는 모든 아이들의 담도가 옅어지는 날
세상은, 조각구름은 멸망하지 않을까.

하늘의 색은 물을 닮아서
가끔 난 세상에 잠겨 있다는 생각을 했다.

기억을 망각시킬 수 있는 방법은

정말 존재하지 않는 걸까

과거의 한순간이 지금이라서 광기의 시계는 그날에 맞춰졌다.
가장 청순했던 아가씨는 환청에 실신했던 밤을 겪었고
상냥했던 심장의 창이 무너져
절망을 위한 노래마저 접었던 날도 있었느니라.

나무상자

나는 낭만이 넘치는 조금 빛바랜 것들을 좋아했다. 예를 들자면 요즘에는 잘 쓰지 않는 유선이어폰이나 맞춤법을 몇 개씩 틀려가며 조금씩 써 왔던 일기장이라던가, 필기한답시고 덕지덕지 붙여왔던 메모장, 드문드문 잇자국이 나 있는 몽땅 연필 같은 오래된 것들을 말이다. 차마 버리지도 못한 채 쌓아놓으면 이따금 간간이 구경하다 드문드문 끊겨진 필름 마냥 과거를 회상하는 일도 빈번했다. 잊혀 가는 것들을 붙잡고는 잠시나마 단편 영화를 감상하듯 미화된 과거들을 떠올리며 추억에 젖어 들어가는 것은 내게 유일한 도피의 안식처였다. 그렇게 나는 과거에 매달려 소리 없는 울음을 흘렸다.

빛바랜 편지

낭만 넘치는 서랍 속 먼지 쌓인 편지들은 더 이상 발신자를 기억하지 못한다. 그저 누군가의 필체만이 먼지 탄 종이 위에 남겨져 있을 뿐이었다.

나는 너의 손자국이 잔뜩 묻은 너의 필체를 읽으며 밤을 새웠다. 우리의 낭만의 종착지는 여기였다.

"잘 지내고 있니? 나는 여기서 그럭저럭 지내고 있어."

"잘자, 좋은 꿈 꿔."

팔레트

나는 누군가와 틀어지면 모든 것이 끝나기라도 하는 듯이 굴었다. 연민을 느끼라고 하는 것이 아닌 정말로 불안했다. 모두와 이별하는 상상을 하고 세상에 혼자 남겨진 그림을 그리고 끝내 참지 못해 자살하는 생각을 했다. 나는 사람들과 부대끼고 소속감이 드는 만남이 좋았다. 그렇게 억지로라도 만들어진 거짓의 소속감에 바보같이 안심하곤 했다. 타인의 말 한마디에 죽었다가 살았다가 난 나 대신 누군가를 사랑하는 일을 곧 잘했다.

이 말은 나 자신을 사랑하는 일은 불가능했다는 말이다.

그냥 어느 날 내가 콱 죽어버려도 아무도 슬프지 않았으면 좋겠다.
언제 죽을지 모르는 그런 불확실함은 나를 곧장 울컥하게 만든다.

상해버린 여름

그러나 여름은 상하기 좋은 계절이기도 했다. 한 존재를 끌어안고 너무 깊이 와버렸기 때문에. 너를 끌어안고 너무 멀리 와버렸기 때문에. 자신이 끌어안은 것이 무엇인지도 모른 채 이대로라면 행복하다고 충분하다고 여겼기 때문에. 네 따뜻한 온기와 네 사랑이 내겐 너무 필요했기에 나는 그렇게 너를 끌어안았다. 이러다 사랑하는 존재를 또 잃으면 슬프겠지만. 너를 잃으면 나는 많이 슬프겠지만 당장 살 이유가 나는 너무 필요해서. 네가 나에게 하는 사랑한다는 말은 얼음처럼 녹아 내 몸을 타고 바닥으로 떨어졌다. 그렇게 너는 더운 여름날 상한 사과처럼 내 마음을 상하게 했고 나는 그런 너에게 아무런 저항도 하지 못한 채 상함을 당했다.

괜찮았다.
나는 항상 괜찮다.

사실 정말로 괜찮은 건 하나도 없었다.
나는 아무렇지도 않게 "괜찮아", 입으로 말하면서
정말 아무렇지도 않게 괜찮지 않았다.

내가 너를 안심시키려고 한 괜찮아는 항상 탈이 났다. 나는 그렇게 여름 내내 배앓이를 해야 했다. 너를 앓아야 했다. 아주. 오래. 너는 내가 한 말들에 안심했을지 모르겠지만. 나는 그런 나를 보며 웃는 너를 볼 때마다 너를 많이 앓았다.

이만하면 충분하다는 애정은 내겐 통하지 않았고,
괜찮지 않은 마음은 더 큰 바람을 몰고 왔다.

더 좋아해 줘.
그냥 계속해서 날 좋아해 줘.

네 사랑이면 나는 다 괜찮아.
누구보다 널 사랑할 수도 널 좋아할 수도 있어.

상하기 좋은 여름은 나를 사랑하는 네 마음도, 너를 사랑하는 내
마음도 계속 네 주변을 빙빙 돌며 자전하는 내 모습도, 찬란한 여
름빛도, 널 떠올리게 하는 따뜻한 차도, 너의 괜찮음을 항상 응원
하는 내 작은 마음도 모두 상하게 만들어버려. 난 여름이 미워.

그러니까 이 여름에 날 사랑해 줘.
조금이라도 괜찮아.

내가 썰물일 때는 빠지지 마세요

울어서 해결될 일이었다면

지구는 이미 물에 잠겼어

계절은 그 고유의 향기가 있다.

季節はその固有の香りがある

마음예보

여름이 되면 숨이 막혔다. 뉴스에는 바다에 몰려있는 사람들이 나오고 일기예보에는 최고기온이 30도가 넘을 거라는 말이 나오는데, 정작 나는 이불에서 나오지 못했다.

나는 매일 낭떠러지에서 살았다. 곧 떨어져 버릴.

행여 손을 놓을까 두려웠고 작은 손을 쥐기엔 너무 큰 여름이었다. 나는 아가미 없는 물고기인 채로 망망대해인 여름에 남겨졌다. 주위엔 온통 어둠이었고, 숨을 쉬려고 폐에 공기를 가득 넣으면 폐부는 금방 쪼그라들었다. 숨을 쉬지도, 그렇다고 그 큰 숨을 참지도 못한 물고기는 그렇게 포근한 공간 안에서 서서히 죽어갔다.

울다가 죽으면 사인은 무엇인가요

새벽이 되면 눈이 떠졌다. 밖에 누가 있는지조차 알지 못하는 좁은 공간에서 아무 소리도 들리지 않는 어둠 속에 혼자 남겨지는 건 매일 겪는 일이지만, 도무지 익숙해지지 않았다. 그러면 나는 다시 이불 속을 찾았다.

입을 손으로 막고 울었다. 행여 자고 있는 누군가의 밤을 깨울까, 힘을 주었다. 그렇게 입을 막으면 숨을 쉬는 일은 배로 벅찼다. 이러다가 눈물에 익사할 수도 있겠다고, 눈물도 물이니까 이렇게 사인이 익사일지도 모르겠다고 혼자 울다가 웃었다.

문득 이렇게까지 살아야 하나 생각이 들었다.

나는 마음 편히 울지도 못하는 내가 너무 불쌍했다. 스스로에게 동정을 받아버린 기분은 천천히 나를 더 무너뜨렸다.

주저앉은 청춘을

너무 아픈 사랑은 사랑이 아니었습니다.

작은 생채기에도 폭포처럼 흐르는 끈적하고 빨간 물이 곧 나를 집어 삼킬 듯 넘실거릴 때, 나는 도망가고 싶었습니다. 지금 하고 있는 아픈 사랑과 나를 아프게 하는 모든 현실을 집어던진 채 도망가고 싶었습니다. 하다못해 곧 숨이 끊길 사람처럼 헐떡이는 일도 그만하고 싶었습니다. 숨을 쉬지 않는 일이 덜 아플 거라고, 자기 암시를 한 채 걷는 집으로 가는 길.

나는 이미 어두워진 길가에 주저앉았습니다.

이 거리에 아무도 없어서 다행이라고,
잠깐이었지만
나는 그날 처음으로 안심했습니다.

어느덧 다시 봄이 찾아왔으니,
상처 입고 텅 비어버린 당신 마음에도
따뜻한 봄 내음이 가득하기를.

여름이란 청춘 아래, 소녀는 계단을 오른다.

　푸를 청과 봄 춘의 만남은 생각보다 아팠으리라. 푸른 녹음이 가득했던 날, 방에서 나오지 못한 어린 청춘은 푸르름을 느끼기 전에 어둠을 먼저 봐버렸고, 온통 어둠의 끈적임으로 가득한 밤을 눈물로 지새웠다. 장롱 안에서 잠을 자는 여름옷과 침대 위에서 머리끝까지 이불을 뒤집어쓴 소녀는 더운 여름에도 이불 밖으로 나오지 못했다. 소녀는 알고 있었다. 자신이 겪는 건 흔한 중2병이 아니라는 것을. 꽉 닫힌 방문을 여는 일, 1cm쯤 되어 보이는 방문턱을 넘는 일은 에베레스트를 등산하는 것 만큼 쉽지 않았다. 그 아이의 여름은 항상 그랬다.

　장마철의 꿉꿉한 날씨는 소녀를 방에 가뒀다. 천둥이 무서워 도망친 곳은 늘 머무는 이불 속이었다. 도망친 곳에 낙원은 없다고 했던가. 헝클어진 머리, 머리맡에 놓인 작은 무드등, 손목이 다 가려지는 긴팔은 소녀를 지키기엔 역부족이었다. 양손으로 귀를 틀어막은 소녀는 속으로 울음을 삼켰다. 며칠 지나지 않아 끈적한 괴물이 그 애 앞에 나타났다. 소녀는 세상과 단절을 선언한 채 혼자 커다란 우물을 팠다. 그것마저도 하지 않으면 괴물에게 잡아먹힐 것만 같았기 때문이었다. 하루가 지날수록 우물의 깊이는 빠르게 깊어졌다. 스스로 판 우물은 소녀를 가뒀다.

자신을 스스로 우물에 가둔 사실을 알기까진 꽤 오랜 시간이 걸렸다. 9개월의 이불 속 동면이 끝나고 소녀는 앞으로 푸르른 여름 한번 맛보지 못할 자신의 인생이, 또 고작 이불 속이 자기 세상의 전부가 될지도 모른단 사실이 불행하게 느껴졌다. 그녀는 힘들게 판 우물에 계단을 쌓기 시작했다. 우물 안 개구리는 멍청한 게 아닌 끈기가 있는 것이라 생각하며 계단을 쌓고 멈추고, 쌓고 멈추는 일을 반복했다. 좁은 틈으로 보이는 밝은 빛이 점점 넓어진다는 것. 그것은 스스로가 나아지고 있다는 점을 의미한다는 걸 소녀는 알고 있었다.

길고도 짧은 시간이 지나고 나서 밖으로 나와 바라본 8월의 여름은 내가 생각한 것보다 훨씬 찬란한 계절이었다. 누군가 손을 잡고 끌지 않으면 문밖으로 한 발짝도 내밀지 못했던 내가 5년 만에 반팔을 입고, 혼자 문을 열고 나와 다시 이 계절을 마주했다. 파란 하늘의 구름과 초록색 옷을 입은 나무에게 오랜만에 인사를 건넨 것이다. 이런 나를 보고 누군가는 "너의 청춘은 5년을 잃었다"고 말할지도 모르지만, 계단을 꼭 한 칸씩 올라갈 필요는 없다. 우물 속 청춘은 5년의 시간동안 남들보다 훨씬 더 많은 계단을 올라 갔으니까.

보이지 않던 하늘이 보이고, 넓어지고, 파래지는 게 내 눈에 담기는데 어떻게 포기할 수 있을까. 작은 희망에서 나는 비상문을 찾았다. 어쩌면 나는 벌써 이번 여름을 기대하고 있을지도 모른다. 숨기 바빴던 여름, 밖에 펼쳐진 녹음을 두 눈으로 볼 날들이 얼마 남지 않았다는 사실에 이젠 두려움보단 설렘이 앞선다. 4월의 봄에 쓰는 나의 이야기는 찬란한 여름을 지나 가을을 넘어 추운 겨울에 도착해도 끝나지 않을 것이다. 스무 살에 시작된 이 소설의 프롤로그는 언제 에필로그를 가지고 올까. 소설이 막을 내린 날, 에필로그 속 나는 환한 미소로 웃고 있으면 좋겠다.

가위

어릴 적 야광이 잔뜩 붙은 내복을 좋아했는데,
꿈꿀 때마다 보이는 저 환영에는
정을 붙일 수 없었다.

내 몸을 오려버리고 싶을 정도로.

나는 6월에 폴라로이드를 살 거야

청춘의 비망록

—

갑자기 든 생각이야.

별다른 건 아니고,

우리는 내일보다 오늘이 더 청춘이니까
양껏 무모하고 맘껏 서툴러도 괜찮지 않을까.

사촌 형의 컴퓨터

오후 7시쯤, 아빠와 엄마는 이모부와 술잔을 잡았다.
시끌벅적 웃음으로 가득한 거실.
무슨 말인지 하나도 이해가 되지 않는
어른들의 이야기를 뒤로 한 채,
난 사촌 형의 의자 옆에 서서
형의 현란한 손놀림을 구경했다.

시간이 얼마나 지났을까.

오후 9시쯤, 나는 이모부와 술잔을 잡았다.
시끌벅적 웃음으로 가득한 거실.
일 얘기가 뒤섞인 어른들의 이야기 뒤에,
어두컴컴한 방 안에서 의자는 잠을 자고 있었다.
난 사촌 형의 옆에 앉아
형의 달라진 얼굴을 조용히 바라봤다.

시간이 이 정도로 지나갔나.

겨울에 먹는 사과는 누구의 손에서 나온 것인지
쓰기 그지 없었고, 여름 식탁 위의 복숭아는 이미 무른 것이었다.

그거 알아?
새벽엔 별이 참 예쁘더라

22.05.30

구름은 순식간에 지나가지 않는다.

새파랗게 질린 하늘이 거품을 내고
비가 땅에 부딪히기를 반복하면

떨어져 버린 잎사귀에게 사과 한마디 없이

그저 다시 밝게 웃어준다.

18.06.29

집으로 돌아가는 방법은
왔던 길을 다시 돌아서 가는 것.

과거가 내 집이라면
난 짐을 챙겨서 헐레벌떡 달릴 것이다.

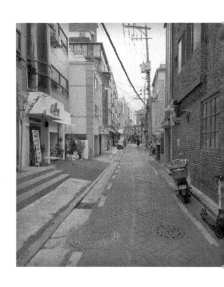

J에게

안녕 너에게 편지를 써. 여긴 벌써 봄이야. 아직 능소화가 피기엔 많은 시간이 남았고 너는 이불속에서 나오지 못하겠지만, 여긴 이미 한 해가 지났고 또다시 봄이 왔다고 알려주고 싶었어. 이쯤이면 살고 싶다고 울고 있으려나. 난 그런 네가 너무 보고 싶어. 지금의 나는 네 생각보다 훨씬 잘 지내고 있어. 깊은 그 우물에서 나오지 못하면 어떡하나 걱정하던 내가 웃으면서 지내고 있어. 더 버텨도 괜찮냐고 묻고 싶을까. 그런 질문이라면 오늘 대답할 수 있을 거 같아. J 제발 버텨줘. 나 아직은 여름이 무서워. 비가 오면 가끔 무너져 내리기도 해. 그런데 J야 세상은 생각보다 예쁘고, 네가 그렇게 죽을 거라던 앞자리 1이라는 숫자를 난 이미 넘어섰어. 다가오지 않을 2가 이미 다가와 버렸고 대학교 도서관 앞에 핀 벚꽃은 우리 집 뒷 놀이터의 벚꽃만큼 예뻐. 넌 벌써 여름을 걱정하며 울고 있겠지만, 벌써 눈이 빨개지진 않았으면 좋겠다. 8월에 핀 능소화도 봐야 하고 가을 낙엽의 노랫소리도 들어야 하고 자살하기 전 눈사람의 웃음도 봐야 하니까. 찬란한 세상을 네 두 눈에도 담아주고 싶어.

잘자, J. 오늘 밤은 네가 울지 않았으면 좋겠어.

세상 모든 문장이 '살고 싶지 않다'로만 읽히던 때.

새벽 3시는 나를 가장 미치게 했다. 불면으로 잠을 자지 못하는 상태에서, 아무런 소리도 들리지 않는, 그 누구의 모습도 비치지 않는 고요한 새벽을 견디는 건. 나만이 떠도는 거리를 아무렇지 않게 걷는 건 내 발걸음을 내 손에 들린 칼을 앞으로 나아가지 못하게 했다. 나는 그렇게 오랜 시간을. 혼자 견디기엔 칠흑 같은 어두움에 휩싸인 그 시간을 제 나름의 방식으로 견뎌보려 발악했다.

말 그대로 발악이었다.
내게 내려진 동아줄은 그렇게 약하지 않았다.

그날. 노을이 지는 오후 5시는
나에게 울기 좋은 시간이었는지라

나는 소리 내어 열심히 울어보았다.

침대 정리

일부러 이불 정리를 했다. 아무도 방에 들어오지 못하도록 들키면 그 날로 내 삶도 끝이었다. 어쩌면 끈질긴 이 선을 자르기 가장 두려워했던 건 나 자신일지도 모르겠다. 손목에 남겨진 오선지들에 다시 한번 난도질하는 건 잘하면서, 죽음을 행동으로 옮기는 일은 말로 뱉는 일보다 훨씬 어려웠으니.

어김없이 매일 같은 시간에 잠에서 깼다. 그닥 좋은 꿈도 아니었는데, 막상 잠들었던 시간은 2시간도 채 되지 않았다. 하루에 12분에 1도 잠들지 못하는 삶은 생각보다 더러웠다.

더 이상 살아갈 힘도 없는데, 나는 또다시 눈을 떴다.
더 이상 무엇도 보고 싶지 않아서 나는 두 손을 눈에 댔다.

불 꺼진 방, 주위엔 아무 소리도 들리지 않았고, 혼자 내는 무음의 울음에 목이 막혔다.

이제 나는 어떤 방법으로 부서져야 하나.

그날 새벽 바라본 하늘은 이제껏 바라본 어느 밤보다 참혹히도 아름다웠다고.

살아있던 너는 느끼지 못했겠지만.

한여름 밤의 꿈

감당할 수 없는 일을 감당할 길이 망각밖에 더 있을까. 새벽을 그렇게 진탕 보내고 난 다음 날이면, 어김없이 머릿속엔 아무것도 남지 않았다. 더운 여름날이면 더욱 그랬다. 모든 게 망각 되어 버린 날, 그런 날엔 새벽을 원망할 수밖에 없었다. 모든 일은 감당할 수 없었고, 그 모든 일을 감당하기엔 나의 공간은 너무 좁았다.

한여름 밤의 꿈은 생각보다 아름답지도, 예쁘지도 않았다.

아파해도 눈길조차 주지 않는,
나의 작은 새벽은 그렇게 시간을 버렸다.

한: 숨

—

이미 난도질한 손목과 뜨거운 물이 만나 흐르는 검붉은 빛 물이 팔을 따라 흘렀다. 새벽 난간 위에 마지막 한숨을 남긴 너는

뛰어내리는 사랑만이 유일했던 걸까.

옥상을 이어주는 마지막 계단에 바로 주저앉을 걸 알면서도 그 위까지 거친 숨을 내쉬며 올라간 너는

뛰어내리는 삶만이 유일했던 거지?

흡혈귀

—

방에서 나오지 못했다. 잠도 잘 자지 못했는데, 일어나는 건 더더욱 고역이었다. 차라리 죽여달라는 소리침이 걸맞은 하루의 시작이었다. 매일 밤 아침이 오지 않게 해달라고 기도했고, 햇살이 비치는 창문이 싫어 커튼을 닫았다. 인제 그만 나오라는 외침을 듣지 않기 위해 귀를 막았고, 더 약해지긴 싫어서 눈물을 참았다. 그때 다 쏟아부었으면 괜찮았을까.

사랑도 해본 적 없는데 괴물이 되어버렸다.

고립된 괴물,
더 이상 아무도 찾지 않아서 혼자 차가운 죽음을 맞이해 버린,
그런 쓸쓸한 괴물이.

파도에도 흔들리지 않게

—

바다를 습관처럼 찾게 된 건 그렇게 흔들리던 그즈음부터였다. 작은 말들에도 휘둘렸던 나는 백사장을 쉼 없이 오가는 바다에 발을 담근 채,

'그래 파도 정도는 되어야 내가 흔들릴 만하지.' 하며 안심을 노래했다.

낭떠러지의 여름은 그렇게 나를 집어삼켰다. 작은 흔들림에도 큰 파동을 느끼는 내가 주저앉기 시작했던 것도 그때부터였다. 사랑이란 이름 아래, 모든 것이 허용되는 건 어쩌면 가장 무서운 말이라는 걸 그때 알았으면 좋으련만. 이미 너무 늦어버린 시곗바늘에 스톱워치를 붙여봤자 시간은 속절없이 흐를 뿐이었다.

바다는 흘렀고, 눈물도 흘렀다.

작은 돌멩이에 걸려 넘어지지 않는 법은 없었다. 나는 내 자신에게 자꾸만 걸려 넘어졌다. 쉽게 뱉어버린 작은 죽음들은 하나둘 뭉쳐서 그대로 나를 막았다.

나는 그렇게 넘어지고, 고꾸라지고, 울었다.

더럽고, 추악하고, 이기적인 세상에 헐벗은 채로 내던져진 상태,

나는 추락하고 있었다.

.

.

.

어딘가로 깊숙이 추락하는 와중에도
바다가 보고 싶었다.
바다를 사랑하게 된 건 그때부터였을까.

마지막

저 수평선이 일렁거릴 수 있다면
나는 신성한 거짓으로 바다와 교감하게 되겠지.

손바닥에, 물고기의 지문을 묻어둔다.

바다의 깊이가 비리다.

나는 그렇게 점점 바닷속으로,
빠져나올 수 없는 이불속으로 천천히,
그리고 희미하게 잠식했다.

그렇게

점

점

─

아마 그날은, 내가 처음으로 세상에 작별을 고한 날.

피다 만 지구

그건 악몽 같은 아름다움이었을까.

앞으로도 지구가 꾸는 이 예쁜 꿈이 쉽게 끝나지 않을 것 같아,
죽은 뒤 한 번 더 죽으면서도 나는,
그 눈부신 장면으로부터 쉽게 눈을 떼지 못했다.

작은 우리들은 살아야 했다.
죽지 말았어야 했다,

지구를 손에 쥔 게 처음부터 망가졌던 건지,
쥐는 방법이 잘못되었던 건지. 우리는 모르게 됐다.

너와 나는 삶에 열중했을 뿐인데
열심히도 무언가를 꾸준히 망쳐왔던 거다.

괜찮을 리가 없었다. 괜찮을 리 없다.
그렇다면, 그렇다면 괜찮지 않아도 된다.

무엇보다, 이 지구를 버티는 게,
피다 만 지구를 버티는 일이 가장 힘들었으니까.

멋지고 훌륭하지 않아도, 어디에서 귀가 따가울 만큼 쏟아지는 박

수를 받아보지 못했어도. 나와 너의 가난한 감정에 무수한 손가락
질이 쏟아져도,
괜찮아야 할 이유는 없었다.

우리는 시도 때도 없이 절망했고,
절망하고,
절망할 것이었고.

같은 방식으로 무너지지 않으려 노력하는 것만으로도 빠듯했다.
우리의 지구는 손에 쥐어진 채로 부숴졌다.

그대로 멸망해 버린 걸까. 망명해 버린 걸까.

죽지 마, 죽지 말자, 작은 우리들

작은 우리들,
연약한 우리들은 아직 살아야 할 이유가 많잖아.

슬픔과 위로가 필요하면 얼마든지 지구에서 뜯어가고, 죽지 말자.

사소한 것들이 우리를 괴롭히고, 꾸짖어.
나는 자꾸만 사는 게 사소해지고 어려워지고 자꾸만 닳고 찢기고.
나의 마모를 지켜보는 눈, 시선이 가득한 땅.
딱딱한 힘들이 주위에 가득해서.

나는 물리적으로,
정신적으로 힘을 견디고, 견디고, 견디는.

지구의 모든 지구인한테 치이고 견디고 인내와 오기가 지나친 파
헤침, 비참을 몰고 와. 예고도 없이 찾아온 소행성이 북반구로 다가
오듯 자꾸 무언가 다가오는데 서늘한 지구의 목소리가 내 목덜미에
스며들고 차가운 온도보다 자꾸 쓰다듬는 따뜻한 말소리가 싫어서
지구 사람들을 찢어발기고 터트리고.

지구는 그런 나를 막지 못해 울었다.

작은 우리들에게,
마저 피지 못한 채 죽어가는 지구에게.

약속하기로 해, 언제든 부르면 살아있기로.

향수

저마다 마음속에 애틋한 노스텔지어가 있다. 우리는 가슴 한편 어렴풋한 그림을 그리며 현재를 살고 있는지도 모른다. 먼 동경이 삶의 전부일지도 모른다. 사실은 다들 그렇게 공허하게 무언가를 향하며 살아간다. 어쩌면 내가 사랑한 건 당신이 아닌 내가 이루고픈 사랑의 동경이었는지도 모른다. 그러니까 마음속에 채워지지 않는 미완의 환상 때문인지도 모른다.

여름만 되면 왜 이리 가슴이 아리는지

별것도 아닌 풀벌레 소리에

바다에 절여진 물고기 마냥

광활한 그리움에 퍼득거리는지

그 이유를 알 수 없었다.

고래

네가 내 여름을 잡아먹었구나.

그래서 여름만 되면 시도 때도 없이 겨울 같던 너의 향이 눈가에 내려앉았었구나. 난 지독히 뜨거운 겨울 바다에 빠져 익사하는 비운의 고래가 되겠지 아무리 큰 몸뚱아리로 파도를 갈라도 땅에 닿지 못하는. 정작 바다는 고래 한 마리가 자신의 폐에 물을 가득 채우며 죽어가고 있단 사실도 모른 채.

넌 그렇게 살아가겠지.

기억나지 않는 꿈

눈 뜨고 나면 무슨 내용이었는지 하나도 기억나지 않는 꿈이 있는
가 하면, 시간이 지나도 쉽게 잊히지 않는 꿈도 있잖아.

나한테 너는 그런 거였어.

가끔은 사람이 이렇게 종일 우울할 수가 있지 싶을 정도로 우울했
어. 사실 눈물 뚝뚝 흘리면서 글을 쓴 적도 꽤 많고, 나는 활자로
내 감정을 배설하는 일이 참 좋아.

사람이 좀 우울할 수도 있지, 우울이 꼭 감춰야만 하는 감정은 아
니잖아? 나는 우울이란 감정을 또 이를 소재로 한 글을 사랑해.

희망 가득한 글들은 싫어해서 읽지도 않아.
글 하나 읽는다고 갑자기 삶이 행복해져? 하나같이 진부해.

나는 있는지 없는지도 모르는 희망 따위는 갖고 싶지 않은데, 어
차피 잃게 될 희망이라면 더더욱 매일 죽지 못해 사는 삶이 내
게는 익숙해. 손목 여기저기 난 칼자국도 나는 다 사랑해.

이게 나고, 이게 내 삶이라서, 나는 나를 사랑했는데, 너는 나를
보자마자 손목부터 보고, 너를 만나자마자 내가 이상하리만큼 행
복지수가 쭉 올라가고, 매일 밥 먹었냐고 묻는 네 다정함과, 잠은

잘 잤냐는 따뜻한 전화 한 통이 너를 나에게 신으로 다가오게 했어.

너를 조금 더 일찍 만났다면 그랬다면 좋았을걸.

그럼 너를 볼 때마다 가린 더러워진 손목도 매일 울어서 부어버린 눈도 존재하지 않았을 텐데.

항상 나의 삶을 연명해 주는 너를, 그래서 나는 너와 함께했던 꿈 같은 시간에서 벗어나고도 너를 좀처럼 잊을 수가 없었던 거야. 네 모든 것을 하나도 빠짐없이 기억하고 있다기보다는 너의 어떤 부분이 내게 너무 짙었어. 잊었나 싶었는데도 가끔 문득 네가 떠오를 때면 네 모습이 너무 선명해서 네가 내 옆에 없다는 사실이 믿어지지 않을 때도 있었어.

그래서 늘 이미 없는 네가 묻고 싶었어.

너는 어때?

너도 내 순간을 기억해?

너도 그 순간 때문에 하루 종일 아파본 적이 있어?

그 순간 속에 나는 작게나마 존재했을까.

나는 네가 나를 평생 사랑한다고 하면 그 문장마다 평생 행복할 거고, 네가 나를 평생 미워한다고 하면 그 문장마다 평생 아파할 거야. 어떤 사람 때문에 인생이 이렇게나 흔들릴 수 있다는 건 짐작조차 못 했지만, 무수한 상황 속에서도 나는 한결같을 거라는 말을 하고 싶었어.

사랑해.

언젠가 네가 내가 아닌 다른 사람을 향하고 있다고 해도 변하지 않을 거야. 나는 너를 몇 번이고 애틋해 할 거야.

마치 꿈속에 나타난 누군가를 보고 깨어나 눈물을 흘리는 것처럼.

나한텐 그게 사랑이야.

나한텐 너 자체가 사랑이야.

널 조금 더 일찍 만날 걸 그랬어.

뭉뚝해진

악순환은 계속됐다. 하면 괜찮음을 느낄 수 있는 일을 참는 건
속이 뭉그러지는 기분이었다.

정신을 놓고 있다 차리면 내 손목은 다 헤집어져 있었다.

또 그어버렸다.

이 정도면 내가 기분에 스스로 잠식 되어가고 있는 것만 같다. 내
스스로 이성을 통제할 수 없었다.

나는 삶의 의지를 잃었다.
그렇게 침대에서 나오지 못하게 됐다.

베개의 안쪽에는 커터칼이 있었다. 나는 어두운 새벽 아무것도 눈
에 보이지 않을 때 커터칼을 꺼냈다. 한참을 난도질하다 보면 뭉
뚝해진 커터칼이 선홍빛의 액체를 만들어 낸 느낌이 들었다.

나는 그렇게 잠이 들었다.

아침에 일어나면 밤사이 생긴
붉은 줄을 가리기 급급했다.

나쁘지 않다고 해도 되는 건가,
살아있어도 되는 건가.

죽는 게 이득 아닐까.

이 정도로 삶을 거부하는 인간이
삶을 살아내도 되는 건가.

새벽 5시에 전화하면 누가 받아주긴 할까

질식사할 것 같다.

도저히 나아지지 않는 이 상태가 끔찍하다.

잠들지 못하는 밤에

나는 침대에 누워 방 천장을 가만히 바라봤다.
일찍 누웠지만 어둡고 기나긴 새벽까지도 잠들지 못하고
눈을 꼭 감아봐도 정신이 흐릿해지지 않는다.

잠들지 못한다는 건
이 현실에서 어디론가 도망칠 수도 없다는 뜻이었다.

'째깍째깍'

시계 초침 소리에
심장이 몇십 번이고 찔리는 것 같았다.

그림자놀이

포근함이 되어주지 못하는 햇볕은 무더운 땀띠만을 남겨줄 뿐이었다. 그림자는 동심에겐 귀여운 그림이지만 우울을 느끼는 나날엔 시커먼 누군가일 뿐이다. 그렇게라도 나를 분리하고 싶었다. 모든 그림자들이 공평해지는 밤이 오면, 그저 하나뿐인 보름달 가로등 아래서 멍하니 다음 날의 햇빛을 기다려야만 했다. 그것이 내 여름날의 일상이었다.

2018년 6월 모의고사

시인들에게 문학은 토해내는 감정일까,
아니면 누군가를 대변하는 낱말일까.

은유에 숨겨진 여러 감정 섞인 글들은
그저 내용 하나 이해 못 할 6월의 쪽지 시험으로 다가왔다.

노란 리본

가벼운 종이배에도 무게는 있다.

8살 아이에게는 쉽게 질려버릴 장난감, 몇몇 어른들에게는 표현 못 할 눈물이 섞인 하나의 매개체로 자리 잡는다.

초등학교에서 학생을 위해 종이를 접으며 그날을 곱씹어 본다.

나는 구멍이야ㅠㅠ

구멍이 없는 옷은 세상에 없다.

허름한 지난날의 옷도, 축복이 가득 담긴 드레스도 세 갈래의 구멍을 담곤 한다. 종이를 잡아주는 왼손이 숨을 쉴 수 있도록, 글을 적어주는 오른손이 숨을 쉴 수 있도록, 또 감정을 짓는 내 얼굴이 숨을 쉴 수 있도록.

내게 나버린 구멍은 다 그만큼의 가치를 머금었나 보다.

버스 창가 자리에서의 끄적거림

문득 생각났다. 초등학교에 다닐 적 우리 옆 동네에는 길고양이가 아주 많았다. 나와 친구는 그곳에 있는 새로운 아이들을 발견할 때마다 이름을 지어줬다. 시간이 지나 '까미가 죽었네' '초코가 죽었네' 소문이 돌 때도 난 어딘가에서 잘살고 있을 거라며 부정했다. 어쩌면 어린 마음에 믿고 싶지 않았을지도 모른다.

이젠 간식을 들고 아이들의 이름을 부르며 그 애들의 그림자를 찾지도 않고 그 아이들의 이야기를 들을 수 있는 우체통도 다 사라져 버렸지만, 있는 곳이 어디든 잘 지내고 있길 바라본다.

어렸던 나보다 많이 변한 지금의 나처럼 집 주변도 많이 변했다. 엄마 생일날 꼬깃해진 돈을 들고 갔던 화장품 가게도 며칠 전 문을 닫았고, 자주 가던 수제 빵집도 어느 날 '임대'라는 커다란 글자가 적힌 스티커가 붙어있었고, 친구들과 매일 들락거렸던 노래방도 사라진 지 오래였다. 몇십 년간 꿋꿋하게 자리를 지키고 있던 가게들도 하나 둘 정겨운 동네를 떠났다. 이 동네에서만 17년째 살고 있는데 내가 성인이 될 동안 참 많은 것들이 오고 그만큼의 추억이 떠나갔다.

새로운 상권이 생기면 예전에 있던 건물의 이름이 기억에서 지워진다. 꽤 오랫동안 봐 왔음에도 불구하고.

문득 누군가의 기억에서 지워지는 건 슬프겠다고 생각했다.
상담 선생님이 세상 모든 사람이
나 같은 마음씨를 가지고 있으면 좋겠다고 하셨다.

.

.

.

선생님 그럼 모든 이들의 세계가 무너질 텐데요···.

여름과 시제

과거는 지옥
현재는 새벽
미래는 기대

나아지리라는 보장은
누구에게도 추구되지 않았다.

편지를 씁니다.
친애하는 나에게, 당신에게

살아야 하는 이유를 찾아야 했습니다.
죽지 말아야 하는 이유를 찾고 있었습니다.

길바닥 어디에서든 연필 한 자루면 시작할 수 있는 나의 일을,
나는 나를 부정하지 않기 위한 것뿐인 글을 계속 썼습니다. 내가
여기에 살아있는 한 나의 존재를 계속 부정해 나갈 나를 스스로
버텨낼 수 없었습니다.

분명 살아갈 이유를 찾고 있었습니다.

내가 죽지 않으면 안 되는 이유를 상회 할 뿐인, 하지만 결국
'살고 싶어'라는 말과 별 다를 바 없는 이유를.
더불어 살아야만 하는 이유를.
나는 별거 없는 이유들로 다시 내일을 살아내게 될 내가 조금은 우
스웠습니다.

내가 마음 놓고 울 수 있는 유일한 장소는 화장실이었습니다. 그마
저도 입을 막고 우는 습관 때문에, 소리는 숨이 막히는 '턱턱'거리
는 소리뿐이었지만 울음의 공명이 돌아다니는 화장실은 쭈그려 앉아
울기 좋은 곳이었습니다.

조금 많이 서럽고 안아주는 이 하나 없는 공간에 나 혼자 덩그러니 앉아 우는 건 생각보다 쉽지 않았습니다. 조금 많은 용기가 필요했고, 약간의 무모함이 필요했고, 정말 많은 죽음에 대한 수용이 필요했습니다. 이렇게라도 하지 않으면 마음속에 담겨 있는 감정들에 스스로 익사할 것만 같아 내가 빙빙 돌며 찾은 공간이 바로 화장실이었습니다.

외부의 화장실은 조금 더 차갑습니다. 여러 개의 칸 중 오늘 내 울음을 담아낼 방을 고르는 건 쉬운 일이 아닙니다. 그들도 각자 나름의 고충이 있을 것만 같아 매번 마음을 다잡고 생각을 가지런히 놓은 뒤, 심호흡을 하고 들어갑니다. 속으로는 '미안해'를 외치면서 말이죠.

들어가서 울기만 하던 나는 하나의 부가 재료를 추가했고 그 일을 가장 많이 후회 중입니다. 난도질 된 손목을 볼 때마다 아파온다는 걸, 스스로를 더 옥죄인다는 걸 뻔히 알면서도 나는 죽고 싶지 않은 마음에, 죽을 용기가 없는 작은 마음에 매번 최악의 카드를 꺼내 들었습니다.

빨간 줄이 그어진 하얀 피부는 마치 내게 인간의 자격을 실격당한 느낌을 주었고 나는 그럴 때마다 삶의 마지막을 다짐했습니다. 살고 싶다는 생각이 내 다짐을 항상 무너뜨렸지만요.

이것도 하나의 살아야 하는 이유가 될 수 있는 건가요.

나는 가끔 내가 갑자기 죽어 버릴까봐 겁이 납니다. 살고 싶다는 마음의 크기가 죽고 싶다는 마음의 크기와 비례하게 된다면, 더 작아진다면 죽어버릴 것만 같았습니다.

말미암아 나에게 죽음이란 '살고 싶다'로 가정되어 있기에 나는 오늘도 소리칩니다. 고요한 비명을 지릅니다.

아무도 듣지 못하는 알지도 못하는 묵음의 울음을 말이죠.

2023년 6월 19일의 유서 1

감정의 밑바탕을 오랫동안 헤엄쳐 왔습니다.
사실 이 바다의 끝이 없길 바랬습니다.

내가 지금까지 살아온 삶의 끝이 고작 이거라고 사람들에게 보여
주기엔 누가 봐도 한심하기 짝이 없었습니다. 난 언제나 내 편
이라 말해주는 누구에게도 부응할 수 없었고 나 자신의 기대를 스스
로 뭉개버렸습니다. 아침에 일어나는 게 무섭습니다. 나를 제외한
모든게 생기있는 밝은 빛이 두렵습니다.

나는 많이 하찮은 사람입니다. 누군가 옆에서 지켜봐 주지 않으
면 아무것도 못하는, 그런 비열한 사람일지도 모릅니다. 다음 생에
태어난다면 날 지금까지 살게 한 당신들과 다시 만나고 싶습니
다. 그때의 나는 지금보단 좀 덜 불 건강하길 바라봅니다. 세상의
끝에 서 있는 내게 다가오라 손짓합니다. 고맙다는 말을 전해야
할 사람들이 많습니다. 난 당신들에게 조금은 괜찮은 존재였을까
요.

너무 많이 헤집어 놓아 더 이상 망가질 것도 없는 내 마음은 이
제 그만 세상을 놓아주려 합니다. 겁이 많은 나는 죽겠다는 말은
입에 달고 살면서 정작 시도는 하지 못했습니다.

만약 내가 어딘가로 가버린다면 나에게 손을 흔들어 주세요.

언제가 될진 나두 모르겠습니다.
한때 내가 사무치게 사랑했던 이들에게

난 잠시나마 당신들을 사랑할 수 있었음에 감사합니다.

지독히 악착같이 버텼고
나는 이런 삶을 살아가는 나 자신을 사랑했습니다.

2023년 6월 19일의 유서 2

어둠 속에서 입을 막고 우는 건 습관이 됐다.
이젠 숨소리도 내지 않고 울 수 있게 됐다. 좋은 건가.

당장 내일 새벽에 죽을 사람이 이런 글을 끄적여 뭐에 좋겠냐마는 하루하루 버티며 살아온 마지막 종착지가 여기라니 좀 우스워서라도 남겨야 할 것 같다.

아침에 눈을 뜨면 나라는 존재가 먼지처럼 없어지면 좋겠다. 스스로 숨통을 조이기엔 겁이 너무 난다. 한두번 해본게 아닌데도 해야지 마음먹을때 마다 너무 무섭다. 당신들은 아무것도 모를거다. 내가 얼마나 많은 밤을 베개와 눈물로 보내왔는지 울음소리하나 새어나갈까봐 숨이 막히면서까지 참아왔는지 당신들이 제일 무섭다.

이 더럽고 추악하고 좆같은 세상은 발버둥 치는 작은 물장구는 알아봐 주지 않는다. 죽을 듯이 휘저어봤자 답이 없고 아무도 알아주지 않는 노력은 퍼부어봤자 밑 빠진 독에 물 붓기다. 나만 힘든 거 아닌 것도 알고 내가 이겨내야 하는 것도 알고 평생 이런 걸로 힘들어하면 안 되는 것도 아는데 머리로는 되는데 막상 현실로 마주치면 유리창에 머리 박고 죽어버리는 새 한 마리가 되는 것 같다.

원천이 어디인지도 모르는 검은색의 진득하고 커다란 덩어리를 7년째 안고 다녔다. 어디서부터 시작된 걸까. 어디부터 잘못된 걸까. 바닥까지 내려갔다가 다시 올라온 내가 또다시 내려가면 어떻게 해야 하는 거지. 여기서 다시 올라갈 방법이 있나. 인간은 물속에서 쉽게 가라앉지 않는다던데 난 왜 이리 쉽게 주저앉아 버리나.

인간이 아니었던가.

괜찮은 척을 너무 잘해도 문제다. 다들 진짜 믿어버린다. 사실은 궁금해하지도 않는다. 하나도 괜찮지 않은데 다들 거짓말에 너무 잘 속는다.

이 정도면 내가 존나 척척박사다.

살고 싶어서 죽을 거 같다.

살고 싶어서 죽어야겠다.

살기 위해선 이 방법밖엔 없다.

온통 검은색이 되어버린 나는
밝은 곳에 갈 자격도 박탈당한 것만 같다.

어떤 상처는 잊히지 않고 계속 기억되기를 바라

LOVE IS...

매미 울음소리가 잦아들었다.

하늘의 높이는 조금 높아졌고,
집 앞 단풍나무 나뭇잎 두 개는 벌써 옷을 갈아입었다.

가을이다.

네가 좋아했던 계절이다.

[여름을 내내 울던 너는 가을 어딘가에서 웃고있을까?]

모처럼 사랑스러운 날씨였다.
날씨도, 시간도, 우리를 이어준 모든 것이 참 아름다운 순간이었다.

네가 처음 이곳에 오자고 했던 날, 세상이 파랗게 물들어 있는
것만 같았다. 뜨겁게 달궈진 모래사장을 밟으며 뛰어간 작은 오두
막은 우리의 세상을 숨 쉬게 만들어 주었다.

숨통이 트인 우리는 발바닥이 따가워질 때까지
깊은 사랑을 할 거라 믿어 의심치 않았다.

너는 그 작은 공간에서 날 안았다.

164

따뜻한 네 온기, 내 허리를 꽉 안고 있던 네 손,
너만의 따뜻한 살냄새가 너무 좋아, 나는 네 존재에 불안감을 느꼈다.

[분명 넌 지금 내 앞에서 나를 안고 있는데
금방이라도 네가 사라질 것 같아]

[잠시 한눈팔고 있는 사이에
네가 내 곁에서 완전히 사라져 버리면 어떡하지?]

[이 따뜻한 온기를 너만의 향을 더 이상 느끼지 못하면 어떡하지?]

쓸데없는 불안에 오늘도 마지막일 것 같아 네 허리를 더 조이게 돼.

숨을 못 쉴 정도로 안아줘도 좋아.
목이 아플 정도로 네 쪽으로 당겨도 좋아.

[평생 안아줘]

물에 젖은 종이가 된 것 같다.
조금만 잘못 만져도 찢길 거 같다.
이렇게 사는 게 맞는 건가 싶다.

편안하게 죽는 연습을 해야 해

애정결핍

너무 많은 응원을 받아버린 날엔
내가 잘 살 수 있을지 의문이 든다.

당장이라도 죽을 수 있는 나라는 사람이 이런 응원을 받아도 되는
건가, 당신들의 말에 너무 모순되는 나라는 인간이 이 세상을 얼
마나 더럽고 추악하게 바라보는지, 그런 곳에서 이런 생각을 하는
내가 살아낼 가치가 있는 사람이긴 한 건지.

사회의 이데올로기에 맞는 게 하나도 없다.

나도 이 세상도

살아야겠다는 생각이 3분 만에
죽어야겠다는 마음으로 뒤바뀌는 게 인간이라니, 그게 나라니.

3분 카레보다 빨리 식어버리는 것 같다.
삶의 의지는 생각보다 꺾이기 쉽다.

많은 응원의 단어 하나하나를 곱씹을 때마다 잘 살아야 한다는
마음에 불쑥 부담감이 찾아온다. 살아야 한다는 마음은 살아내야
한다는 마음으로 바뀌고 살아내야 한다는 마음은 하루를 버텨내
야 한다는 어둠 속으로 내 의지를 끌고 내려간다.

당신들은 알까. 삶을 산다는 의미가 아니라 버텨낸다는 의미로 삶을 연명해 나가고 있는 나를. 언제든 죽으라면 죽을 수 있는 나를

당신들은...

당신들의 따뜻한 햇빛 같은 말의 조각들은 나와는 정말 맞지 않는 퍼즐 조각이라는 걸 분명히 자각하는데 나랑 맞지 않는 조각들을 얼기설기 엮어 살아있는 게 나라니 얼마나 웃긴 말인가.

따뜻한 조각들은 내가 다가가면 얼어버릴 거다.
그 자리에 가만히 얼어서 아무 데도 가지 않으면 좋을 텐데,
언 채로 어딘가로 도망가 버린다. 다들.

당신들은 나의 차가움을 견디지 못해
바람에 몸을 맡긴 민들레 홀씨처럼 멀리멀리 떠나버릴 거야.

이기적인 심술을 조금 부려봐도 돼?

이런 나라도 사랑해 줘, 예뻐해 줘.
그냥 자동응답기처럼 내가 죽음을 택하려 할 때
지금처럼 살아있어달라고 해줘.

큰 사랑을 바라진 않을게.

그냥 정말 조금이라도 좋으니, 너의 0.01%의 사랑을 내게 줘.
그저 스스로 숨통을 끊을 나를 살아있게 해줘.

날아라 나비

이틀 전이었던가, 등굣길에 차에 치여 생을 마감한 지 얼마 안 되어 보이는 나비를 보았다. 편하게 누워있는 것도 아닌, 누워서 한쪽 팔을 들고 있는 나비의 몸에선 선홍색의 내장이 튀어나와 있었다.

아팠다.

학교를 12년째 다니면서 울면서 등교한 건 그날이 처음이었다.

'로드킬이라 누가 치워주지도 않을 텐데'

'어린아이들이 많이 등교하는 길인데'

온갖 상상을 하다 수많은 우주 끝에 닿은 마지막 생각은

"많이 아팠겠다"

하굣길에도 그쪽으로 갈 엄두가 나지 않아 다른 길로 돌아갔다. 어제 집을 나서자마자 그 길로 가야 하나 다른 길로 돌아갈까 백 번을 고민했고 나비의 마지막 길을 잘 배웅해 줄 자신은 없었지만 그래도 그 길로 가보기로 했다.

없었다. 나비의 마지막 모습은.

그곳은 그저 평범한 내가 그동안 걸어온 길이였다.

작은 생명의 죽음은 세상에 아무런 영향을 끼치지 않는구나.

오늘은 괜히 열심히 시체 찾기 놀이를 하는 것이다.

거기에 나비가 더 이상 없다는 걸 알고 난 뒤에 더욱 열심히 찾게 된다면 다시 울어버릴 것만 같은데 한 번만 더 볼 수 있다면

그땐 잘 인사해 줄 수 있을 것만 같아서 말이다.

2년 3개월 동안 아무렇지 않게 걸어온 거리가,

이 길이 작디작은 생명에겐 생사의 갈림길임을 알게 된 뒤로는 괜스레 마음 한 켠이 쓰리도록 아려오는 거다.

이건 누군가는 아무렇지 않을 나의 고등학교 3학년 봄의 이야기.

시스투스

저승에서는 자살도 죄악으로 분류된다고 들었다.

자신을 스스로 죽이는 것도 안 되는 건가.
살인은 정당화될 수 없다지만 본인이 원해서 죽는 것도 안 되는
건가. 스스로를 죽여버리면 자신이 버린 시간만큼 시간의 사막을
걸어야 한다는데 사는 게 죽는 거보다 힘들면 어떡해? 진짜 도피
처가 죽음이면 그건 선택지가 하나밖에 없는 거 아닌가?

애초에 자살이 죄악으로 분류되는 이유는 뭐야?
그저 생명의 소중함을 스스로 져버려서?
꽃 중에도 자살하는 꽃이 있던데 사람도 비슷한 거 아닐까. 먼저
꽃잎이 떨어져 죽어버릴 수도 있는 거잖아. 모두의 삶의 종착역이
죽음이라면 그게 정말 모든 삶의 끝이라면 먼저 끝마치는 것도 본
인 마음대로 할 수 있는 거 아닌가.

자살의 사전적 의미가 '스스로 목숨을 끊는다'는 건데,
다들 본인 스스로를 많이 죽이며 살지 않나.

타의로 인해 자아를 죽이고 사는 것도
자살로 생각할 수 있지 않나.

'타의적 자아 살해'는 '자살'로 볼 수 있지 않나.

173

사는 게 크게 의미가 없으면,
반대로 사는 게 너무나 큰 의미를 지니면, 죽을 수 있지 않나.

타인을 너무 사랑하면 '난 널 위해 죽을 수도 있어'라는 말은 잘
만 하면서. 본인을 너무 사랑해서 죽을 수도 있는 거잖아.
남을 위해 죽는 건 가능하고 본인을 위해 죽는 건 불가능하다면 이
건 무슨 내로남불이지.

살아가는 게 끔찍하게 소중하면 죽을 수도 있는 거지.

본인을 구원할 신이 본인이면 삶과 죽음의 1mm의 경계를 스스로
조종할 수 있는 거잖아. 그 방법이 죽음뿐인 경우에는 자살도 합리
적이라 할 수 있지 않을까.

내일을 꼭 살아내야만 하는 걸까. 난 자신 없는데.

2023년 3월 12일의 유서

'봄에 죽어야지'

나는 꼭 봄에 죽어야겠다고 다짐했다.
삼월 초반이 좋겠다. 약간의 쌀쌀함과 봄의 달짝지근함이 맴도는 날, 삶의 마지막을 장식하는 거야. 아주. 예쁘게.

있잖아.
만약에, 정말 만약에 말이야.
내가 죽게 된다면, 어떤 이유로든 삶을 마감하게 된다면
내 관 속에 벚꽃잎을 함께 넣어줘.

왜 굳이 벚꽃이냐고 묻는다면

예뻤어. 유독.
연분홍색에서 좁은 진홍빛에 가까워지는 꽃잎이.
눈이 쌓인 듯 하얀 벚나무가.

내가 살아온 삶보다 아름다웠거든.

매년 봄마다 벚나무를 보며 약간의 괴리감을 느껴야 했지만
그럼에도 난 사랑했어. 벚나무를, 거기서 싸라기눈처럼 흩날리는
벚꽃잎을. 항상 깜깜했지만 봄에 허리를 펴는 벚나무 무리를 볼

때면 모든 빛이 날 향해 쏟아지듯 밝아졌어.

생각보다 내가 허무맹랑하게 살다가 가더라도
꼭 벚꽃잎을 넣어줘.

그럼 난 꽃잎 하나하나에 당신들 이름을 새겨서 고이 간직할게.

수건

울었다.

샤워부스에서는 나오지 않았다.
따뜻한 물이라도 필요했다.
수건으로 닦아내기엔
눈물은 계속 얼굴을 적실 듯해서
오랜만에 소리 내어 울었다.

늪

감정이 늪으로 들어가는 날의 미소는
왜 움푹 파이지 못하는 것일까.
웃음이 자연스러움 아닌 모사로 느껴질 때는 나를 보는 거울에 들어
가 어두운 공감 속 발을 꺼낸다. 영롱함과 거룩함을 성경책조차
말할 수 없다면 그저 생각에 잠겨 나의 지난날을 헤매야지.

작가

그냥 문득 글이 쓰고 싶은 날이 있어.
제어되지 않은 슬픔이 아기 새 입 벌리듯 고래고래 소리를 지를
땐 벌레 같은 자책을 주기 바쁘고, 아편을 한 대 피운 것 마냥
입술이 저절로 움직이는 날엔 몽롱한 마음을 진정시키기 어려우니까
말이야.

그래서 오늘 같이 기분을 묶어둔 날에나 책상 위 키보드를 두들기는
거야.

노랫말 없는 노래와 의미뿐인 낱말들이 섞인 절묘함,
그 안에서 피어오르는 향은 뭐랄까.
장례식장의 여운을 닮기도 하고, 클럽의 페로몬을 닮기도 하지.
물론 가장 피우기 쉬운 향은 사랑이야.

피리 부는 사나이처럼 예쁜 단어들로 설렘을 인도했다가
눈물샘이란 폭포에 떨궈버리는 것.

누군가에게는 아픔이지만 누군가에겐 위로가 되기도 하지.
그게 내가 오열이란 펜촉으로 글을 쓰는 이유야.

P.S : 물론 컴퓨터가 없는 시절에는 글을 쓰지 않았을 거야. 몇 장의 종잇장을 염소
한테 먹여줬을지 소름 끼치기까지 하네.

수영장

이젠 깊이가 무서워 첨벙거릴 일은 없다.
얕은 깊이에도 허우적거린다는 걸 알기에.
이젠 도착지가 멀어서 헐떡거릴 일은 없다.
생각보다 너무 빠르게 도착한다는 걸 알기에.

여행 후의 캐리어

추억과 즐거움이 뒤섞인 옷가지들을 뒤로하고
커다란 가방 안에 쑤셔 넣는다.
물에 젖은 수영복은 확실히 여행 전과 다르다.
설렘보단 짐에 가까워진 캐리어를 끌고
조용히 버스를 기다린다.

3일 후, 출근길에 엄마한테 전화가 왔다.

"야, 이놈의 자식아. 내가 수영복은 빨래통에 넣어놓으랬지!"

유독 등골이 서늘해지는 여름이다.

RACE

이건 경기 시합도 아니고
무림고수들의 대련도 아니다.

하지만 칙칙폭폭 기차처럼 달렸다.

누가 A+를 맞아야 한다고 총을 들고 협박하는 건 아니지만
이건 우리들의 자존심이다.

강당에서의 셔틀런.

운동화와 실내화들은 호루라기 소리와 함께 탭댄스를 췄다.

빗자루

주황색, 연갈색
상태가 좋은 빗자루는 하나도 없었지만
그냥 웃으면서 청소했다.

대걸레를 내던지며 춤을 추는 친구.
의자를 올리면서 비장한 표정을 짓는 친구.
그 사이, 몰래 눈을 맞추며 웃고 있는 남녀.

그걸 싱긋 웃으며 눈치채버린 나.

여름이었다.

로션

뽀송뽀송!

찹찹!

자기관리를 하는 나의 모습에 자존감이 상승했다!

만족만족!

데헷.

밥버거와 떡볶이

"선배! 밥버거 사주세요."

"선배! 떡볶이도 같이.."

그럼 제가 선배 맘에!

아 채뭉글 님, 다시 쓰라구요...네..ㅠ

여름은 나에게 애증이었다. 계절에 지쳐 허덕이다가도 청춘을 가장 잘 표현하고 있는 계절이라는 이유만으로 사랑하는 마음이 넘쳐흐르기도 했다.

나는 5번의 여름을 흘려보내는 동안 아무것도 할 수 없었다.
이젠 그러고 싶지 않아서, 그저 찬란한 이 계절을 마주하고 싶단 마음 하나로 나의 청춘을 기록하기 시작했다.

이 책 안에는 내가 쓴 글과 사이에 끼워진 익명의글씨체님의 글이 함께 수록 되어있다. 어두운 이야기의 중간중간 스며든 그이의 글을 읽으며 당신들이 웃음 지을 수 있길 바란다.

아마, 당신이 아니었다면 이번 여름도 비슷했으리라. 하고싶은대로 해보라는 그 말 한마디가 내게 얼마나 큰 힘이 되었는지. 당신은 알까.

무너지고, 쓰러지고, 청춘이라는 푸른 단어에 비해
추락하고 있는 모든 청춘들에게 바칩니다.

읽어주셔서 감사합니다. ♥

하얀 살결에 여름이 스치면 무너지는 내 옆에 머물며,
비망록을 완성하기까지 많은 도움을 준 익명의글씨체 님께

이 자리를 빌려, 당신에게 큰 감사를 전합니다.
있어 줘서 고마워, 너의 모든 감정을 사랑해♡